講談社文庫

新装版
殺しの四人
仕掛人・藤枝梅安（一）

池波正太郎

講談社

目次

新装版

殺しの四人

仕掛人・藤枝梅安㈠

おんなごろし

一

そのとき、下駄屋の金蔵《きんぞう》は、女房おだいがとめるのもきかずに、寝床の上で煙草を吸っていた。

病みあがりの金蔵だが、いくらか元気になると、これまで絶ち切っていた大好物の煙草の味をおもい出してたまらなくなり、おだいが用たしに出かけた留守をねらい、ひょろひょろと戸外《おもて》へ出て、同じ品川台町《しながわだいまち》の通りにある煙草屋で煙草を買い、おだいが隠しておいた煙管《きせる》を見つけ出し、

（飛びつくように……）

吸いはじめたのであった。

五つになるむすめを背負って帰って来た女房が、これを見て、びっくりし、

「お前、梅安《ばいあん》先生に、こんなところを見られたらどうするつもりだえ」

煙管を取りあげようとするのへ、

「うるせえ。ちっとばかりやったところで、どうこうなるわけのものでもねえや」

金蔵はおだいを突き飛ばし、たてつづけに煙草を吸った。

青ぐろく浮腫《むく》んだ顔や躰《からだ》へにじむ汗が薬臭《くさ》かった。

そこへ……。

裏口から、ふらりと鍼《はり》医者の藤枝《ふじえだ》梅安が入って来たのである。

二間《ふたま》きりの家の中へあがって来た梅安は、いきなり、ものもいわずに金蔵のあたまをなぐりつけた。

「あっ……」

金蔵は、あたまを抱えてうずくまってしまう。

梅安が煙管を二つに折って、わがたもとへ入れ、煙草入れもふところへしまいこんだ。六尺に近い大きな躰の藤枝梅安の、こうした動作は実にゆったりとしたものであって、団栗《どんぐり》のような小さい両眼は大きく張り出した額《ひたい》の下にくぼんでい、開いているのか閉じているのかさえもよくわからぬ。

坊主頭にしてはいるが、梅安は盲目ではない。近年は盲人たちももみ療治のほかに鍼をうって治療をするほどになっているけれども、藤枝梅安について、このあたりの人びとは、

「なんでも、上方《かみがた》で、みっちりと修行をしなすったらしい」

「あの大きな躰で、あのふとい手指で、あんな細い鍼をよくあやつれるものだと感心するね」

「見たところは、妙にのろのろしていて、あぶなっかしいが……」

「それにしても、よく効《き》くというじゃあねえか」

「そりゃもう、てきめんだよ。おれなざあ、三月《みつき》も痛みがとまらなかった腰の、ここんところを五日で癒《なお》してもらった」

「へへえ、そんなものかね」

「そのかわり、気が向かねえと、いくらたのんでも来ちゃあくれねえ。なにしろお前、治療のときも口ひとつきかねえ変人先生だ」

それほどに無口な梅安が、下駄屋の金蔵にめずらしくこういった。

「病いで死損《しにそこ》なったのを忘れたのか。夜もねむらず、看病をしつづけた女房のこころを忘れたのか。きさま、煙草なぞのんだら、三日であの世へ行くことになるのだぞ」

ゆっくりといいきかせているのだが、突伏《つっぷ》している金蔵は、ふるえあがっていた。

治療をすまして藤枝梅安が帰って行ったあと、金蔵がおだいに、

「あの声をきいたか。凄《すげ》え声だった……」

「そうかねえ。なんだか、ぼそぼそといっていたようだけど……」

「いいや凄え。おらあ、梅安先生に殺されるか、と、そうおもった……」

「なんだねえ、ばかな。私は、ありがたくきいていたよ。お前さんも、もういけませんよ、煙草なんぞやっては……」

「わかった。わ、わかっているともよ」

どうしたわけか金蔵は、ぐったりと床に横たわり、急に、おとなしくなって女房のいうことを素直にきいている。

おだいは、先の梅安の言葉や声を、凄いとも恐ろしいとも感じてはいない。

いずれにせよ、亭主がおとなしく病後を養い、一日も早く店へ出て仕事をしてくれなくては困るのであった。

下駄屋金蔵の家は、品川台町の坂の途中にある。当時このあたりは、南から西へかけていちめんにひろがる田畑と雑木林を見下ろす高台で、江戸の郊外といってよく、大名・武家の下屋《しもや》敷《しき》（別邸）と寺と、丘と木立の中にはさまれた百姓小屋であった。

品川台町の通りを南へ下った左手に、〔雉子《きじ》の宮《みや》〕の社《やしろ》がある。

ものの本に、

「このあたりは北品川領、大崎という。慶長のころ、将軍家御放鷹《ごほうよう》のとき、この社へ雉子一羽飛び入りたり。そのとき神名《しんめい》を問《と》わせられしに、このあたりの百姓たち、山神《やまのかみ》の祠《ほこら》なるよし申しあげければ、以後は雉子の宮と唱《とな》え申すべきむね、上意ありてより、かく号《なづ》くるという」

などと、しるしてある。

別当は宝塔寺《ほうとうじ》といい、丘の上の社殿を仰ぐ鳥居の右手に、その本堂が在《あ》った。

鍼医者・藤枝梅安の家は、この雉子の宮の鳥居前の小川をへだてた南側にある。わら屋根の、ちょっと風雅な構えの小さな家で、こんもりとした木立にかこまれていた。

外見は四十をこえて見える梅安だが、この寛政十一年で三十五歳になる。

梅安は助手も女中も置かぬ〔ひとり暮し〕で、家の掃除《そうじ》や洗濯には、近所の百姓の老婆が通って来てくれる。

梅安が家へもどると、見事に肥《ふと》った沙魚《はぜ》が十余尾《ひき》、笊《ざる》に入って台所へ置かれてあった。

こうしたことは、めずらしいことではない。

どちらかといえば懶惰《ものぐさ》で、無愛想《ぶあいそう》きわまりなく、金品にも執着《しゅうじゃく》がない藤枝梅安なのだが、鍼医としての腕は相当なものらしく、病気全快をした人びとがこうしていろいろ届け物をして来るのだ。

して見ると梅安は、どこか患者に好まれる性格をもっているのやも知れぬ。

もっとも、梅安は初めに診察をして、自分の手に負《お》えぬことがわかると、

「私ではだめだ。もっと、うまい医者に診《み》ておもらい」

はっきりといい、さっさと帰ってしまう。

そうしたときの梅安は、

「取りつく島もない……」

ほどに、すげないそうな。

台所の沙魚を見るや、梅安は、ぴちゃりと舌を鳴らした。食欲をそそられたらしい。

新年を迎えたばかりの、このごろの沙魚は真子《まこ》・白子《しらこ》を腹中に抱いて脂《あぶら》がのりきっている。

梅安は、のろのろと鍋を強火にかけ、生醬油《きじょうゆ》に少々の酒を加え、これで沙魚をさっと煮つけておいて、

「ふむ、ふむ……」

ひくひくと鼻をうごめかしながら、居間へはこび、冷酒を茶わんにくみ、炬燵《こたつ》へ入ってすぐさま食べはじめた。

朝から、どんよりと曇っていた空から白いものが落ちてきはじめた。まだ七ツ（午後四時）にならなかったが、梅安は行燈《あんどん》にあかりを入れ、またしても箸《はし》を把《と》って、残りの沙魚を平らげてしまった。頭も骨も残さぬ。

「ごめんなさいましよ。もし、梅安先生。おいでなさいますかえ？」

戸口で、しわがれた声がした。

梅安は、茶わんの酒をのみほしてから、

「親方ですね。ま、おあがんなさい」

炬燵でぬくもったまま、こたえた。

三間の小さな家である。

訪問者がすぐに、梅安の居間へ入って来た。

梅安と同様、これもでっぷりと肥って、風体《ふうてい》も上品な、どこぞの大店《おおだな》の主人《あるじ》にも見えようという、いかにもおだやかな人相《にんそう》の老人なのである。

親方、と梅安がよんだ老人は、さし向いに炬燵へ入って来て、

「ふってきたねえ」

「この寒いのに、よく、ここまで……」

「なあに、駕籠《かご》を雉子の宮の近くの茶店へ待たしてありますよ」

「ところで、何か？」

「わしが、ここへ来るときの用事は、きまっていますよ、梅安さん」

「ふむ……」

「人ひとり、また殺《や》っておもらい申したいのでね」

「ふむ……」

老人は、赤坂・田町《たまち》の桐畑近くに密集する娼家の束《たば》ねをしている顔役で〔赤大黒《あかだいこく》の市兵衛《いちべえ》〕という。

江戸の暗黒街でも、

（それと知られた……）

経歴と勢力をもつ市兵衛であった。

市兵衛は、六十をこえているくせに、まだつるつるとあぶらの乗った手で、小判三十五両を包んだ袱紗《ふくさ》を炬燵の上へ置き、梅安の顔をのぞきこむようにした。

梅安は不精《ぶしょう》たらしく炬燵から手をぬき、袱紗の中身をあらためてから、わずかにうなずいて見せた。

「承知しておくんなさるかえ？」

「先《ま》ず、殺しの相手をうかがおう」

「女ですよ」

「ふうん……」

「薬研堀《やげんぼり》にある大きな料理屋で万七《まんしち》という……そこの女房のおみのというのを殺ってもらいたいのだがね」

梅安は黙って、あくまでも無表情に市兵衛をながめた。

〔万七〕の女房というなら、それは後妻のはずである。

なぜなら三年前に、藤枝梅安は、万七の女房・おしずを殺していたからだ。

もっとも、このことを赤大黒の市兵衛が知っているはずはない。

三年前のそのとき、万七の女房殺しを金五十両で梅安に依頼してきたのは、本所《ほんじょ》・両国一帯の盛り場を縄張《なわば》りにしている香具師《やし》の元締《もとじめ》・羽沢《はねざわ》の嘉兵衛《かへえ》だったのである。

だが梅安はこのとき、市兵衛に「いまの万七の内儀《おかみ》さんは後妻《のちぞえ》ですね」などと、念を押したりはしなかった。

梅安のように、殺しを商売にしている男は、依頼主と金高によって、依頼を受けたり、ことわったりする。

殺す相手のことや事情なぞには、いっさい口を入れぬのが、この世界の定法《じょうほう》であった。

その点、赤大黒の市兵衛も羽沢の嘉兵衛も、信用のおける依頼主だといってよい。

しばらく考えたのち、梅安は三十五両の半金が入った袱紗包みを取って、しずかにふところへ入れた。

承知したことを、しめしたのである。

にっこりした赤大黒の市兵衛が、

「急がなくてもいいのですよ。ま、お前さんのことだ、安心をしています。それじゃあ梅安さん、たのみましたよ」

と、炬燵から腰を浮かせた。

二

人間《ひと》の〔殺し〕が、金で取引きをされる場合、依頼人は二人いることになる。

すなわち、

「何処《どこ》のだれを殺してもらいたい」

と、赤大黒の市兵衛や羽沢の嘉兵衛などの顔役へたのむものが一つ。

この依頼人を、暗黒街の用語で〔起《おこ》り〕という。

いま一つは、依頼を受けた顔役が、しかるべき〔殺し屋〕をえらび、これにたのむわけで、この第二の依頼人のことを、どういうわけか〔蔓《つる》〕とよんでいる。

〔蔓〕は、〔起り〕から、或《あ》る程度、

(どういう事情で、その相手を殺さねばならないのか……)

を、きいている。

なんといっても、自分が表にあらわれず、別の殺し屋にたのんで人命をうばうのであるから、自分の躰に火がつくようなことになってはたまらない。

(これならいける)

と、見きわめがついたとき、はじめて、

〔蔓〕は殺しを請負《うけお》うのだ。そして、自分の手もちの殺し屋に実行させる。この場合、〔蔓〕から見た殺し屋を、

〔仕掛人《しかけにん》〕

または、

〔仕掛屋〕

と、よぶのである。

仕掛人は、あくまでも金ずくで殺人をおこなうのだから、くわしい事情を知らなくともよい。いや知るべきでないのが定法であって、この場合はどこまでも〔蔓〕を信頼しなくてはならぬ。そして〔蔓〕は、〔起り〕がよこした大金の半分をふところへ入れ、残る半分を仕掛人へ報酬《ほうしゅう》としてわたすことになっている。

将軍ひざもとの大都会である江戸市中で、闇《やみ》から闇へほうむられる殺人は、かなりの数にのぼる。町奉行所や盗賊改方《とうぞくあらためかた》などの警吏《けいり》の眼もとどかぬ場所で、こうした殺人がおこなわれる。その大半は、藤枝梅安のような仕掛人のやったことといってよい。

熟練の仕掛人のしたことは、後《あと》に影も形も残さぬ。犯罪の捜査に科学のちからがおよばなかった二百何十年も前のことなのである。

（ところで……）

と、梅安はその夜、床へ入ってから考えるともなしに考えた。

（万七の、前の女房を殺しにかかった起りは、どこのどいつだろう？　……そして、今度、後ぞえの女房を殺そうとしているやつは？）

こうしたことはめずらしい。同じ家の女房を二人まで、しかも同じ仕掛人が、

（手にかけることになった……）

からである。

（よほど、深い事情《わけ》があるにちげえねえ）

仕掛人にとってはどうでもよいことなのだが、こうなるとさすがに、藤枝梅安は興味をそそられてきた。

そもそも、たいていの仕掛人は〔女の殺し〕を厭《いや》がるものなのだ。

ところが、梅安は、金しだいで、平気で引きうける。

梅安が、ただ一人こころをゆるしている、これも仕掛人の友達で浅草に住んでいる彦次郎《ひこじろう》という中年男が、

「それにしても梅安さんは、よく女を殺《や》れるね。おらあ、厭だなあ」

そういったとき、梅安は、こう答えている。

「冗談じゃない。女にくらべたら、男のほうがずっと殺りにくい。男のほうがまだしも可愛《かわい》気《げ》がある。そこへゆくと女なんて生きものは、まるで化け物だよ」

さて……。

赤大黒の市兵衛から依頼をうけた翌々日の朝になって、藤枝梅安は、家事に通って来る百姓の女房に、

「ひょっとすると二、三日は帰れぬことになるだろうよ」

と、いいおき、家を出た。

昼すぎになって、梅安は、薬研堀の料理屋〔万七〕の客となっていた。

黄八丈《きはちじょう》を裾長《すそなが》に仕たてた着物を大きな躰へゆったりとまとい、黒の紋つき羽織、白足袋《しろたび》。坊主あたまへは御納戸《おなんど》色《いろ》の焙烙頭巾《ほうろくずきん》をかぶった藤枝梅安の風采《ふうさい》は、実に立派なもので、だれの眼にも、どこぞの名ある医者の微行《びこう》としか見えない。

薬研堀とは、むかし、両国橋の南、もと矢の倉の入堀があったときの名で、幕府《こうぎ》の御米蔵の船入りになっていたこともある。これが明和のころに埋め立てられ、そこが両国橋界隈《かいわい》の盛り場の一つになって今日に至っている。

江戸で名の通った商舗も多く、薬研堀不動尊を中心にして大小の料亭が軒をつらねてい、俗に〔振袖芸者《ふりそでげいしゃ》〕とよばれる芸者も呼べるし、そのにぎわいは大したものだ。

〔万七〕は、四代つづいた料理屋で、当主の善四郎《ぜんしろう》は五十をこえているだろう。

三年前。善四郎の前の女房を殺すためのさぐりに、梅安が万七へ来たとき、総二階の上も下も客があふれんばかりであったことをおぼえている。

そのときは夕暮れどきでもあった所為《せい》か、それにしても、

と、二階奥座敷へ通されたとき、梅安は小くびをかしげた。

両国近辺のこのあたりへ来たのも、三年ぶりの藤枝梅安だけに、薬研堀のにぎわいが更に繁《しげ》くなっているのに引きかえ、万七の内外《うちそと》が、

(妙に、さびれたような……)

気がしたのであった。

(妙な……?)

昼どきとはいえ、あまり、客も入っていないらしい。

梅安が通された座敷のたたずまいにも、なんとなくそれが感じられる。こうした料理屋などは、主人の采配《さいはい》がしっかりとゆきとどき、店の奉公人も活気にみちていて商売が繁昌《はんじょう》しているときは、座敷内の空気もはなやかに匂いたっているものだ。

それがいったん、さびれかかってくると、たとえば座敷の障子や襖《ふすま》、床の掛物《かけもの》ひとつにもどことはなく灰色の澱《よど》み燻《くす》みがかかり、まるで病間のような疲れがただよってくるものなのである。

酒を運んで来た年増《としま》の座敷女中へ、梅安が、

「お客もたてこんでいないようだね?」

と、いった。

「え……はい、まあ……」

女中は、あいまいに口をにごした。

色白の、ふっくらとした顔だち躰つきで、双眸《りょうめ》がくろぐろと大きく、気もちのよい女に見えた。

酌《しゃく》をする女中へ、梅安は〔こころづけ〕をはずみ、

「暇《ひま》なら、ちょいと相手をしてくれぬか、どうだな？」

「私でよろしかったら……」

女中が、にっこりとした。

「名は、なんというね？」

「おもと、と申します」

立派な服装《みなり》に似ぬ気やすげな梅安の態度に、おもとは親しみをおぼえたらしい。

「ここへは、おはじめてでございますか？」

「いや……三年ほど前に、一度な」

「さようで」

「そのときとは、だいぶんに様子が変ったようにおもえる」

おもとはこたえなかったが、その面《おもて》に、

（そりゃ、そうでございましょうとも）

とでもいいたげな表情が浮かんだ。

おもとは、酒や料理を取りに行くほかは、梅安の傍《そば》へつききりになって、酌をしてくれた。

料理も、三年前とは段ちがいに落ちている。わずかながら縁《ふち》の欠《か》けた小鉢が出た。

それを指さして梅安が、おもとを見やると、おもとは、

(ほんとうにもう、これなんですから、困ってしまいます)

とでもいいたげな苦笑を浮かべた。

梅安は一刻《いっとき》(二時間)ほども万七にいて、おもととすっかりうちとけてしまった。さりげなく問いかける梅安に、おもとは、大きな声ではいえませんけれど、と前置きをして、

「ここが、こうなったのも、今度の内儀《おかみ》さんになってからなんでございますよ」

ささやくようにいった。おもとにもすこし、酒が入っている。

「ふうん。ここの内儀さんは後ぞえなのかい?」

「ええ、まあ……」

「前のは、病気で亡《な》くなった……?」

「丈夫で、そりゃもう、よく気のつくお人でございました。私たちにもよくしてくれましたので板場《いたば》の人たちから女中たちまで、気をそろえてはたらいたものでございます」

「ほほう。それが、繁昌の原因《もと》だったわけか」

身を入れてきく梅安に引きこまれて、おもとがひざを乗り出し、

「それが、前の内儀さんは、たった一日で、お亡くなりになったんでございます」

「ふうむ」

「忘れもいたしません、深川の八幡さまへお詣《まいり》に出かけて、境内の人ごみの中で、急に、あの、倒れてしまったそうなんで……それっきり……きっと、本人も気づかないうちに、心ノ臓でも悪くなっていたのじゃあないかと、お役人が、そういっていたとか……」

「なるほど……」

相槌《あいづち》を打つ梅安は、眉《まゆ》の毛ひとつ、うごかさなかった。

深川八幡の境内で、すれちがいざま、万七の先妻・おしずの盆《ぼん》の窪《くぼ》（くびのうしろの窪んだ箇処《かしょ》）へ、治療につかう鍼よりも少し太目の針を打ちこんだのは、ほかならぬ藤枝梅安なのである。

その手ぎわは、絶妙であった。

長さ三寸余の針の根元まで、ゆいあげた女の髪の髱《たぼ》の下から打ちこんだのだ。ほとんど血も出なかったろう。

深ぶかと突き通った針は、おしずの延髄《えんずい》に達した。延髄は中枢神経の一部で脳髄の下端にあり、脊髄《せきずい》につづいている急所中の急所である。

「あ……」

低く声を発し、ふらふらと歩いて、おしずがくずれるように人ごみの中へ倒れ、つきそっていた小女《こおんな》が叫んだときには、早くも梅安は人ごみにまぎれて姿を消してしまっていた。

検屍《けんし》の役人も出張《でば》ったらしいが、おしずの死因はわからぬままであった。医学はむろん、現代のごとき発達を見せていない。死体の解剖《かいぼう》など、おもいもよらなかった時代なのだ。

梅安の犯行は完全に、見のがされたことになる。

梅安は、おのれの手練《しゅれん》に満足した。

(だが、この女中がいうような……そんなによくできた前の内儀を殺そうとしたのは、どこのやつだろう?)

しかもいま、後妻のおみのも、同じ梅安の手によって殺されようとしている。この稼業に入って十年になる藤枝梅安だが、このような経験は、はじめてのことであった。

(何かある。これにはきっと、何かある)

それをつきとめたくなってきた。つきとめた上で、なっとくのゆくような殺し方をして見たくなってきた。

「いまの内儀さんは、あんまり好き嫌《きら》いが激しいものですから、人が居つかないんでございますよ」

おもとが、ためいきをついて、

「それに旦那が、店のことをすっかり、いまの内儀さんにまかせてしまっているものですから……」

と、いった。

梅安は帰りぎわに、一両の小判をむき出しにして、おもとの帯の間へさしこんでやりながら、

「明日、暇をこしらえて出ておいで。橋場《はしば》の井筒《いづつ》という料理屋で、四ツ（午前十時）ごろ、待っているから……」

女の耳へ口をつけてささやき、返事もきかずに、廊下へ出て行った。

三

浅草・橋場の料亭〔井筒〕は、藤枝梅安がかねてなじみの店だ。橋場の不動院・境内の北面にあり、竹藪を背に、思川《おもいがわ》のながれをへだてて彼方《かなた》に真崎《まさき》稲荷社の杜《もり》をのぞむ風雅な構えで、梅安は江戸市中へ出て来ると、かならず此処《ここ》に寝泊りをすることになっている。

〔井筒〕では、梅安を〔雑子の宮の先生〕とよび、鍼医と信じてうたがわぬ。主人の与助《よすけ》が、いつか大病を患《わず》らった折に、梅安が泊りこみで治療してやり、全快したのを恩に着て、主人夫婦は梅安があらわれると「下にも置かぬ……」もてなしをしてくれるのであった。

〔万七〕を出た梅安は、舟で橋場へ行き、井筒へ泊った。

翌日の四ツすぎ。梅安が遅目《おそめ》の朝飯をすませて間もなく、女中がおもとを案内して来た。

梅安は、茶室めいた〔離れ〕にいる。

おだやかに晴れわたった冬の陽ざしが障子を淡白《ほのじろ》く浮きあがらせているが、座敷の内はうす暗かった。梅安は明るい部屋を好まぬ。

酒がきて、二人きりになるまで、おもとも梅安も無言であったが、梅安は女の顔を穴のあくほどに見つめていて、おもとは顔を伏せた。おもとのうなじのあたりへ見る見る血がのぼってくるのが、はっきりと梅安に感じられた。

「炬燵へお入り」

「あい……」

「ぬけ出して来るに、大へんだったろう」

「あの……本所の伯母が病気だといって……」

「そりゃあよかった。なぞといっておもと。お前これまでに、好きな男《の》と忍び逢うたび、何度も伯母ごを殺したのではないかえ?」

「まあ、いやな……そんなに、見えますか?」

「いやなに、冗談さ」

いいざま、梅安が擦《す》り寄っておもとを抱きしめ、いきなり唇《くち》を吸った。

「むっ……」

「お前の肌は、やわらかい」

「あ、先生。もう……」

「もう……どうした？」

　こたえはない。

　おもとは、あえぎはじめている。

　厚くてひろい藤枝梅安の胸の中で、ゆられもまれているうち、おもとの帯は解け、押しひろげられたえりもとから、むっちりと脹《は》った乳房がこぼれはじめた。

「たまには、よいさ。な、な……」

　ささやく梅安に、しっかりと両眼を閉じたおもとがこっくりとうなずき返したかとおもうと、その双腕《もろうで》へ急に恐ろしいほどのちからが加わってきて、梅安の背を抱きしめてきた。

　おもとは、約二刻《ふたとき》（四時間）も、梅安のところにいた。

　梅安に橋場の通りまで送ってもらい、薬研堀へ帰って行くおもとの全身がみちたりたおもいにふくらんでいる。

　今日も梅安は、少なからぬ〔こころづけ〕をわたして、

「たまにはよいだろう、な」

「あい……」

「ときどき、逢おう。声をかけたら、また来てくれるかえ？」

「私とお前とは、どうも肌が合うような……」

「いやな先生。はずかしい……」

「あい」

梅安に抱かれながら、おもとは〔万七〕の内情の知るかぎりのことを、たくみな梅安の誘導《さそい》に乗せられ語ってしまった。それでいて梅安を怪しむこともなかった。

それは一にも二にも、梅安がおもとの身の上ばなしをきこうとする態度をくずさなかったからであろう。顔は決して美しいとはいえぬが女ざかりのあぶらのみなぎりわたった肉体をもち、人の善《よ》いおもとをあやつることなど、梅安にとって、わけもないことなのである。

それから尚《なお》、二日を〔井筒〕に泊り、日中は何処《どこ》かへ出歩いていた藤枝梅安は、いったん雉子の宮の我家《わがや》へ帰った。

この夕暮れからふりはじめた雪はやむことなく、翌朝、梅安が目ざめて見ると、すでに厚く積もっていた。

百姓の女房が帰ってしまった昼すぎになってから、梅安はようやく起き出した。

居間に切ってある囲炉裏《いろり》へ、うす口の出汁《だし》を張った鉄鍋を掛け、中へ輪切り大根《だいこん》と油揚げを細く切ったものを入れ、これがぐつぐつと煮え出すのを小皿へとって、さもうまそうに食べつつ、梅安は酒をのみはじめた。

（さて、どうするか、な……？）

〔万七〕の女中・おもとからきいたところによれば、後妻のおみのは当年二十五歳。もとは本所・回向院《えこういん》門前の水茶屋〔糸竹《いとだけ》〕の茶汲女《ちゃくみおんな》で、その愛嬌《あいきょう》たっぷりなあしらいと美貌とで一枚絵にも描《えが》かれたほどだという。

〔万七〕の主人・善四郎が、糸竹のおみのへ惚《ほ》れこんで通いつめるようになったのは、五年ほど前になる。

「そのじぶんには、まだ、私は万七におりませんでしたけれど、そりゃもう旦那は無我夢中のありさまで、薬研堀界隈《かいわい》でも評判だったようでございます。旦那は、しごくおとなしい人で酒も煙草もやらず、それまでは、前の内儀さんのほかに女の肌を知らなかったのじゃないか、なぞと、みんなはうわさし合っていますけど……」

おもとは、そう語った。

ともあれ、善人で正直者だけに善四郎はおみのにのぼせあがると、もう留処《とめど》がなくなってしまい、ずいぶんと金も持ち出し、おみのへ入れあげたらしい。

だが、前妻のおしずは、しっかりと商売を切りまわし、万七も繁昌をつづけていたし、

「なあに、旦那のことだ。すぐにやむ浮気だろうよ」

と、おしずは気にもかけぬ様子で、善四郎が遊ぶのにまかせ、厭な顔ひとつしたことがなかったそうである。

おもとが〔万七〕の女中になったのは、

「前の内儀さんが亡くなる三月《みつき》ほど前でございました」

だとか……。

おしずが急死して一周忌もすまぬうちに〔糸竹〕のおみのが、万七へ乗りこんで来て、強引に善四郎の女房となった。

あきれ果てた親類縁者が猛反対したにもかかわらず、善四郎はおみののいうままになり、万七で婚礼まであげたというのだ。

善四郎と亡きおしずの間に生まれたひとりむすめのお千代《ちよ》は、父を見かぎり、おしずの実兄で、これも上野山下で料理屋をしている〔武蔵屋《むさしや》宗吉〕方へ逃げて行ってしまい、いまも、そのままらしい。

こうして、まんまと〔万七〕の女房におさまるや、おみのは、自分の味方になってくれる者のほかはいっさい近づけず、邪魔になる奉公人たちをすべてやめさせた。

おみのの仕方を憎み怒る奉公人たちは多かったから、一時は、人数も三分の一に減ってしまった。

そうしておいて、おみのはおのれが好む料理人や女中を新らしく入れ、采配をふるい出した。

けれども、何分にも自堕落《じだらく》な茶汲女の稼業が身についてしまっているおみのだから、客に媚を売ることはできても、骨身惜しまず先頭に立ち、朝早くから夜おそくまで、奉公人といっしょにはたらきぬく気力も甲斐性《かいしょう》もないのである。

おみのの前ではもみ手をして、うまいことばかりいう料理人や女中たちは、蔭へまわって金品を浮かしてくすねる。

要領《ようりょう》さえよくしておけば、おみのに目をかけてもらえるのだから、料理の材料を落し、その浮いたところをくすねてしまう。女中たちは掃除の手をぬき、おしゃべりと買喰いと男あさりに〔うつつをぬかす〕というわけで、こんな状態が二年あまりもつづいているのだから、万七がさびれるのは当然のことなのであった。

主人の善四郎は、夜になってから起き出し、おみのと共に酒食をとってから、痩《や》せおとろえた躰を、

（まるで鞭打つようにして……）

おみのの白い躰に立ち向ってゆく。

「旦那も、もう長えことはねえな」

などと、男たちはうわさをしているらしい。

（さて……）

鍋の中を空《から》にしてから、藤枝梅安は筆紙の用意をし、机に向った。

〔万七〕の見取図を描きはじめたのである。

あれから梅安はもう一度、万七へ出かけて行き、おもとと親しく語り合っていた。

おもとの口からきいたことと、自分の眼で見た様子とを組み合わせて、梅安は〔万七〕内の間取りを、およそ知ることを得たのであった。

(それにしても、前の女房をおれに殺《や》らせたのは、だれだろう?)

そのことだけが、まだ、わからなかった。

四

積雪が溶けきってしまってからも、梅安は家にひきこもったきりだったが、もっとも下駄屋の金蔵をはじめ、近辺の患者の治療には出たようだ。

赤大黒の市兵衛は何もいって来ない。

梅安の腕を信頼し、まかせきっているにちがいない。いずれにせよ、万七の女房殺しが急ぎの仕事でないことはたしかであった。

そうした或日《あるひ》の夕暮れどきに……。

「梅安先生。おいでなすったか、こいつはありがたい」

たずねて来たのは、本所・両国一帯の香具師《やし》の元締・羽沢の嘉兵衛の右腕といわれる五名《ごみょう》の清右衛門《せいえもん》という老人であった。

もう七十に近い老齢なのだが、この老人の名を江戸の暗黒街で知らぬものはない。

三年前、羽沢の元締の代りとして〔万七〕の前の女房殺しを梅安にたのみに来たのも、五名の清右衛門だったのである。

「久しぶりですねえ、梅安先生」

「お前さんも元気で結構。今日は？」

「人ひとり、殺《や》っておもらい申したいので」

「ふうん……」

清右衛門がもって来た殺しの相手は、筑後《ちくご》・久留米《くるめ》二十一万石、有馬侯《ありまこう》の江戸藩邸にいる三百石の御用取次役《ごようとりつぎやく》で伊藤彦八郎《ひこはちろう》という、れっきとした大名の家臣なのだ。

仕掛人にとっては大物である。大名屋敷にいる武士を殺すためにはいろいろとむずかしいことがあり、手間もかかる。

「急ぎではねえのだ、先生。さようさ、一年かかって下すっても結構なんですがね」

こういって清右衛門は半金の七十五両を出した。ということは、起《おこ》りの依頼人が羽沢への仲介料をふくめて三百両の大金を投じ、伊藤彦八郎を殺そうとしていることになる。

さむらいの世界で処理できかねる紛争があって、どこかから手づるをもとめ、羽沢の嘉兵衛へたのんだにちがいない。

「たのみますよ、先生。今度の仕掛人は、どうしてもお前さんでなけりゃあ……」

「ほかに、こんなむずかしい殺しをやってのける仕掛人はいませんや」

「どうしても、かね？」

「ふむ……」

しばらく考えたのちに、藤枝梅安は、こういい出した。

「私のいうことを一つだけ、お前さんがきいてくれるなら、引きうけてもいいがね」

「どんなことで？」

「三年前の、万七の女房殺しをたのんだ人の名が知りたいのだよ」

清右衛門の老眼が、きらりと光った。

「何もきかずに、知らせてくれぬか。なに別にどうということはないのだが、ちょいと知りたくなってね」

清右衛門は無言で、さぐるように梅安の顔を見つめている。

「掟《おきて》に外《はず》れることは百も承知だ。だからお前さんが、どうしても厭《いや》だというのならきこうとはいわぬ。そのかわり、今度の殺しは辞退《じたい》させてもらうがね」

と、梅安がしずかにいうのへ、清右衛門は軽く舌うちをもらし、

「しようがねえなあ……」

「どうだね、五名の」

「ま、先生のことだ。掟にそむいては元締に申しわけねえが……ようがす。お知らせ申しま

しょう」

「そうか、よし」

「あのねえ、万七の前の女房を殺しにかけた起りは、いまの女房でござんすよ」

「いまの、万七の……？」

「さようさ。評判の悪い女でねえ。羽沢の元締も厭《いや》がっていなすったが、こいつ、深《ふけ》え義理のある芝の元締からはなしがまわって来たもので、ことわりきれなかったのさ」

芝の元締とは、江戸の香具師の元締の中で〔長老〕的な存在の芝の治助《じすけ》のことである。

「おみのには、茶汲女をしていたころから鴨目《かもめ》の新助《しんすけ》という悪《わる》がひもについていてね。おそらくそいつの差金《さしがね》で、芝の元締へわたりがついたのだろうが……いや、どうも、よけいなことをしゃべっちまった。さ、これで先生。引きうけておくんなさいますね？」

返事のかわりに、藤枝梅安は、半金の七十五両を取ってふところへ入れた。

「ありがてえ。羽沢の元締も大よろこびをなさるにちげえねえ。今度の殺しは万七の女房殺しのような後味のよくねえものじゃあない。殺《や》ってもいいようなやつを殺っていただくので……」

「爺《とっ》つぁん、口が軽くなったね」

「へっ。こいつはどうも……へ、へへ……」

「うふ、ふふ……」

「先生のことだ。いまさらいうまでもねえが……」

「念にはおよばぬ。いま此処《ここ》できいたこと、はなしたことは、もう忘れよう」

「では先生。たのみましたよ」

「いいとも。元締へよろしくな」

「申しつたえますでござんす」

その翌日。

梅安は久しぶりに家を出て、薬研堀の〔万七〕へ出かけた。

女中・おもとが、飛び立つように梅安を迎えた。

しばらくして、

「内儀さんが、ごあいさつに出たいといってますけれど……」

酒を運んで来たおもとがいった。

梅安は、ちょっと考えてから、

「いいよ」

と、こたえた。

そして、このときはじめて梅安は、自分におしずを殺させ、今度はおのれが殺されようとしている女の顔を見たのであった。

「ごめん下さいまし」

と、おみのが座敷へ入って来た瞬間、梅安の顔は空間に凍《こお》りついたようになった。

しかし、おみのがいぶかしげに、

「どうなさいました?」

きいたときには、

「なあに、内儀さんがあまりに美しいので、つい見とれてしもうたのだ」

こたえた梅安の声に、いささかの乱れもなかった。

「あれまあ、御冗談を……」

すり寄って来て、おみのが酌をした。

おみのの肩のあたりが梅安の腕にふれた。

着物ごしだったが、こちらの肌身が吸いこまれそうにやわらかい肉置《ししお》きであった。

梅安が、ごくりと唾《つば》をのんだ。

おみのは、自信たっぷりの媚態《びたい》を見せ、梅安をもてなしにかかった。この客は〔上客〕と見たのであろう。このごろは店がさびれてきて金が出て行くばかりなので、おみのもあせってきているらしい。

けれども梅安は、間もなく、

「急ぎの用事があるので……」

と、立ちあがった。

「あれ、もう……もっとゆっくりなすって下さいましよ」

いいかけるおみのの口調は、とても一流の料亭を切りまわす内儀のそれではない。水茶屋にいたころの色気を売りものにするよりほかに、この女は客のもてなし方を知らないのだ。

おもてまで送って出たおもとへ、梅安が、

「明日、井筒へ来てもらいたかったが、急用をおもい出して帰らねばならぬ。近いうち、かならず呼び出すからね」

手早く、ささやいた。

「待っています、先生」

おもとは熱っぽく、ささやき返した。

この日。藤枝梅安は駕籠をやとい、雉子の宮の家へ帰った。

翌朝、百姓の女房が掃除に来て、

「あれ先生？」

と声をかけると、梅安は寝床にもぐりこんだまま、

「用事がな、ちょいとのびたのだよ」

物憂《ものう》げにいった。

この夜。

梅安は、治療用の鍼の手入れをした。

鍼を入れる鍼管を掃除したり、何十本もの金属管の細い細い鍼を焼酎《しょうちゅう》で消毒したり、三《さん》稜針《りょうしん》とよばれる血や膿《うみ》をとる太い針を研《と》いだりしたのちに、長さ三寸余の、これは殺しに使う別の針を三本ほど、小さな砥石《といし》で丁寧《ていねい》に研ぎあげた。

五

雪の日を境《さかい》にして、すこしずつ、寒気がゆるみはじめた。

五名の清右衛門が訪ねて来てから五日目の朝になって、藤枝梅安は、

「今日のうちには帰って来るよ」

と、百姓の女房にいい、家を出て行った。

そして、この日の夜ふけに……。

梅安は事もなげに、薬研堀の料理屋〔万七〕の屋内へ忍びこんでいたのである。

薬研堀不動の裏手の塀から町家の屋根へのぼって、屋根づたいに少しすすみ、〔万七〕の中庭へ下りたのだ。

例のごとく手足のうごきはゆったりとしたものだが、夜の闇の中で、あの巨体をかるがるとあやつり、音もなく、魔物のように屋根をわたって行く梅安の姿を見たら、雉子の宮の近辺の人びとは、肝《きも》をつぶしたにちがいない。

中庭から縁の下へ、もぐりこみ、見当をつけておいた道具部屋の床板を、鋭利な刃物をつかってはがし、梅安は中へ潜入したのであった。

さびれている家というものは、寝しずまってからも、しまりがない。

廊下を行く海坊主のような梅安の耳に、奉公人たちの寝息やいびきがきこえる。

梅安は、黒っぽい着物の裾《すそ》を端折《はしよ》り、紺股引《こんももひき》をはいて特別製の紺足袋《たび》。草履《ぞうり》は帯にはさみ、顔を布でおおっていた。

難なく、梅安は主人夫婦の寝間の次の間へ入った。

苦しげな寝息がきこえる。

細目に襖《ふすま》を開けてうかがうと、主人の善四郎がひとりでねむっていた。

寝間に薬湯のにおいがこもっていた。

(ははあ……とうとう躰をこわしてしまったのだな)

襖をしめ、小廊下へ出た。

廊下を左へ曲がった突き当りに、内儀・おみのの部屋があるはずだ。これにも、次の間がついている。

次の間へ入った。

境の襖をそっと開ける。

おみのが、三十五、六の男と、もつれ合うようにしてねむっていた。

(ふむ……こいつ、おみののひもで、鴨目の新助とかいう男にちがいない)

二人の衣類が、あたりへ撒《ま》き散っていた。

いぎたなくねむりこけている二人の夜具の裾にしゃがみこみ、梅安は、しばらく凝《じっ》とうごかぬ。

やがて、這うようにして枕もとへ行き、水差しと湯のみが乗っている盆を引き寄せた。

湯のみをどけて、水差しの水を盆へそそぐ。

ふところから半紙一枚を出して、盆の中の水へ漬けた。

そして、たもとから革《かわ》づくりの大きな指輪《ゆびわ》を出し、右手の親指へはめこむ。

左手でたもとをさぐり、殺し針を出して、これを唇《くち》にくわえる。

水がながれるように、スムーズな手のうごきであった。

つぎに、水にぬれた半紙をとって、畳の上へひろげた。

おおいをかけた行燈《あんどん》の灯影《ほかげ》に、おみのの顔が浮きあがって見える。

髪が、ぐずぐずにみだれてい、だらしなくひろげた唇の間から歯の鉄漿《かね》がのぞいてみえる。

むき出しになった左肩に、男の歯型がいくつもついていた。

藤枝梅安が、そうしたおみのの寝顔を、なんともいえぬ暗い眼つきでながめた。

次の瞬間……。

梅安の上半身と両手が、まるで別人のようなす早さでうごいた。

左手で畳の上のぬれ半紙をはらりとつまみあげ、これを、おみのの寝顔へかぶせたときには、早くも右手がうごいて、掛蒲団《かけぶとん》をおみのの腹のあたりまでめくり、同時にその右手は、くわえていた殺し針をつまみ取っている。

ぬれ半紙を顔に貼りつけられ、おみのがはッと目ざめたとき、梅安の親指がぐいと、殺し針をおみのの心ノ臓へ埋めこんでいた。

おみのが、ぴくぴくっとした。それきりであった。

声も叫びもなく、即死した。

すぐ傍で、情夫《おとこ》が大いびきをかいている。

部屋にこもっている情事と酒と汗のにおいに、梅安は顔をしかめ、蒲団を元どおりにおみのの死体の胸まで掛け、後退《あとずさ》りに下って行き、次の間へ消えた。

廊下へ出てから藤枝梅安は、微《かす》かに舌打ちを鳴らした。

それから一刻のちに……。

梅安は雉子の宮の我家の寝間で、茶わん酒をのんでいた。

夜は、まだ明けない。

酒をのみ終えると梅安は、寝床へもぐりこみ、ぐっすりと、やすらかな顔をしてねむりこんだ。

六

春が来た。

大川《おおかわ》（隅田川）の東岸、寺嶋《てらじま》あたりの堤の桜花は、いまがさかりであった。

あたたかく晴れわたった日和《ひより》がつづき、このあたりの料亭や茶屋も〔かき入れどき〕となり、人出も多い。

浅草・橋場の料亭〔井筒〕も、花見帰りの常客や、春の夜を酒と共にたのしむ人びとのおとずれが絶えない。

だが、今日の井筒の離れだけは、ひっそりとしずまり返っていた。

客がいないわけではない。

久しぶりに、藤枝梅安があらわれ、別の客と二人きりで、ひっそりと酒を酌《く》みかわしている。

別の客は、梅安と同業の仕掛人で、この近くに独《ひと》り暮しをしている彦次郎《ひこじろう》であった。

彦次郎は五十をこえて見えるが、たしかな年齢を梅安も知ってはいない。梅安よりも年長であることだけはたしかなことだ。

表向きは〔楊子《ようじ》つくり〕をしている彦次郎《ひこじろう》だが、仕掛人としての腕は大したもので、殺し針もつかうことがある。これは梅安から伝授《でんじゅ》をうけたのだ。

二人は以前、いっしょに仕事をしたこともあって、たがいの仕掛人としての人柄を知りつくしている。

だからこそ、こころをゆるして酒がのみ合えるのであろう。

「そうか……万七の女房殺しは、お前さんだったか……」

梅安からすべてをきいて、彦次郎が、

「おれも、うわさにきいて、こいつは仕掛人のしたことだとにらんではいたがね」

おみのが死んでいることを発見したのは、あの翌朝、おみのを起しに来た女中だったという。

情夫《おとこ》は、おみのが死んでいると知って、それより先に、あわてふためいて〔万七〕から逃げ去っていた。

情夫は、やはり鴫目の新助だったが、そのとき何も逃げるにはおよばなかったのである。

新助は、間もなく捕えられた。

「い、いっしょに寝たことはたしかでござんすが、殺《や》ったのはおれじゃあねえ。おらあ、おみのが死んでいるのを見て、びっくりして逃げ出した、それだけだ。それだけのことだ」

必死にいいたてたが、いいたてればたてるほど、新助への疑惑は深まるばかりであった。

今度は、おみのの心ノ臓に凝固《ぎょうこ》していた血痕が発見され、そこを針のようなもので突き刺

したことがわかっただけに、これまでの新助の行状からおして見て、奉行所では、

「間ちがいなし」

ということになった。

「近《ちけ》えうちに、死刑《おしおき》になるそうだよ」

「あいつには、似合いの死場所だ」

「万七の主人《あるじ》は、ちょうど患《わず》らっていたそうだが、よだれをたらして可愛がっていた女房に死なれてびっくりし、それからもう寝たっきりで、つい此間《このあいだ》、死んだとよ」

「ふうん、そうかい」

「親類のところへ行っていたひとりむすめが帰って来て、これからは親類一同が、そのむすめに養子でも迎えて、後楯《うしろだて》となり、万七のたてなおしをやるらしい。両国界隈では、万七のうわさでもちきりだとよ」

「ふうん、そうかい」

「それにしても、めずらしいこった」

「何がだね、治彦さん……」

「同じ家の女房を二人も、同じ仕掛人が……」

「まったくなあ」

と、梅安が盃を置いて、

「今度の女房《やつ》は、どうやら、私の妹らしい」

「なんだって……」

さすがの彦次郎も、これにはおどろいた。

「そいつは梅安さん、ほんとうか？」

「私の母親に生《いき》うつしというやつだ。母子《おやこ》でなくては、ああは似ないよ」

「それじゃあ、お前……知っていて、殺《や》ったのかね？」

「そうさ」

酒と小鯛の片身に木の芽をあしらったものを、女中が運んで来て、二人のはなしはとぎれた。

庭で、しきりに鳥が囀《さえず》っている。

女中が去ったとき、藤枝梅安が、

「鳥は、巣づくりにいそがしい」

つぶやくようにいった。

彦次郎は黙念《もくねん》と酒をのみつつ、時折、ちらちらと梅安の横顔を見た。

彦次郎が、いま考えていることを見とおしているかのように、梅安は語りはじめた。

「おれはね、彦さん。まだ、お前さんにははなしてはいなかったが……駿河《するが》・藤枝の生まれでね。親父《おやじ》は宿《しゅく》の神明宮《しんめいぐう》の前で桶屋をしていたのだ、名前を治平《じへい》といってね」

「そのとき、お前さんの妹は？」

「いたよ。親父が病いで死んだとき、四つか五つ、だったろうね。いつも風邪《かぜ》ばかりひいていてぴいぴいと泣き通していたものだ」

と、かぶりをふって梅安が、

「とてもとても、あんなにしぶとい女になろうとは、夢にもおもわれぬような子だったが……」

「名前も同じか？」

「なあに、妹はお吉《きち》といったよ。だが彦さん。女の名前なぞは、いくらでも変えられるものさ」

「だが、ほんとうかね、万七の女房が……」

「間ちがいない。おふくろそのままだ」

梅安は冷ややかな口調で、しずかにいいきった。

「親父が死んだとき、おふくろはね、死骸《しがい》に取りついて、わあわあ、わあわあ、まるで洪水《でみず》のように涙をながして悲しんでいやがったが……ふん、その翌朝。け、ろ、り、として間男と手に手をとり、藤枝から逃げてしまったのさ。おれをひとりぼっちに置き去りにしてな。うむ……うむ、妹だけは、それでもつれて出て行きゃあがった」

「なるほど……」

「女という生きものは、悲しくなくとも泣きゃあがる。親父が死んで、胸の内ではしめた、とおもっていながら、それでも泣いて見せやがるのだ。女は、みんなそれさ。え……その間男かね。ながれ者の日傭取《ひようとり》で、権《ごん》なんとかといやあがった。厭な野郎だったよ」

梅安にしては口ぎたなく、語尾を吐き捨てるようにいった。

「そうかい。お前さんも、ずいぶん、いろんな目にあって来たのだね」

「親父が死んで、たよるところもなく、ぼんやりとしていたおれを拾ってくれたのが、江戸から京へ帰る途中、藤枝の旅籠《はたご》に泊った鍼医の津山悦堂《つやまえつどう》という先生でね」

「なるほど。ふうん、なるほど、そうか」

「京へつれて行かれて、二十五のときまで、お傍《そば》にいたよ。鍼のほうもみっちりと仕込まれてね」

「それならお前、立派な鍼医で通ったものを……」

「そうはいかねえ」

苦《にが》く笑って梅安が、

「悦堂先生が亡くなってのち、おれはね、はじめて人を殺してしまった」

「……女か？」

「うむ。その女も……おふくろや、妹そっくりの……いや、顔のことではねえ。やることなすことがそっくりの女だったよ」

女中が、また、酒と鯨骨《かぶらぼね》の吸物を運んであらわれた。

吸物の中に、蘭の花が浮いている。

この吸物は、井筒の名物であった。

女中が出て行くと、吸物を口へはこびながら藤枝梅安が、

「私はもう、女を殺《や》るのは、やめにしたよ」

と、いった。

「そうだろうなあ」

「おい、彦さん。妹を殺ったからというのではないぜ」

「ほう……？」

「万七の、前の内儀を殺ったことが、どうにも、いまになって後味がよくねえのさ」

「だって、そいつあ、蔓の羽沢の嘉兵衛がいけねえのだ」

「だから、彦さん……」

「え？」

「私はもう二度と、羽沢の元締にたのまれても引き受けねえつもり……」

と、いいさして藤枝梅安が、うんざりとした顔つきになり、

「いや、もう一度だけ、羽沢の仕事をやらなくちゃあならねえ」

「もう、引き受けたのか？」

「熱海へでも行って、ひとやすみしたら、また江戸へもどって、下準備《したごしらえ》にとりかかるつもりだ」

「ふうん、おもしろそうだな」

「れっきとした二本差さ。一年がかりでやってくれというのだ」

「大物だな」

「百五十両でね」

「ときに、梅安さん」

「なんだね?」

「その、万七の女中の。なんといったっけ?」

「おもと」

「うむ。それから逢ったのかえ?」

「うんにゃ逢わねえ」

はじめて、梅安の顔に、やさしげな微笑が生まれた。

「あの女中は人が善《よ》くてね。いまのところ、私はそうおもっている。だから、そのままにしておきたいのさ」

「なるほど……」

「おもとだって、時と場合によりゃあ、私のおふくろや妹になりかねない。女という生きものは、みんな同じだよ、彦さん。うふ、ふふ……」

殺しの四人

一

陽の光りは、すでに夏のものといってよかった。

境内《けいだい》の木立から、一つ、二つ、三つ……と、松蟬《まつぜみ》の声が鳴きそろってくるのを、鍼《はり》医者の藤枝梅安は、うっとりときいていた。

この来宮大明神《きのみやだいみょうじん》の社《やしろ》は、伊豆の国・熱海の町外れの山腹にある。

梅安が腰をおろしている石の向うに、社の鳥居が見え、彼方《かなた》には、山下の湯けむりがのぼり、相模《さがみ》湾の海が空間へ青い紙を貼《は》ったように横たわっていた。

鍼医者でありながら、熟練した仕掛人《しかけにん》（殺し屋）でもある藤枝梅安が、江戸をはなれて熱海の温泉《ゆ》へ来てから、すでに二十日ほどが経過していた。

梅安が、江戸の赤坂・田町の桐畑近くに密集する娼家を一手に取りしきっている顔役（赤大黒の市兵衛〕の依頼で、薬研堀《やげんぼり》の料亭〔万七〕の女房を殺害したのは、まだ春も浅いころであった。

報酬《ほうしゅう》は、金七十両。当時の庶民が七年ほどはのんびりと暮せるほどの大金だ。

一つの殺しを終えると、梅安はかならず、江戸をはなれ、箱根か熱海の温泉につかり、放《ほう》心《しん》の日々をすごすことにしている。

それが彼の休養にもなるし、次の仕事への〔こころがまえ〕をかためてゆくことにもなる。

(さて……そろそろ、江戸へ帰ろうか)

梅安は、ゆっくりと立ちあがった。

つぎの仕事は……。

本所・両国界隈《かいわい》の香具師《やし》の元締、羽沢《はねざわ》の嘉兵衛《かへえ》からたのまれたもので、殺しの相手はれっきとした大名の家来なのだ。

筑後・久留米二十一万石、有馬侯の家来で、御用取次役をつとめている伊藤彦八郎がそれである。

どのような事情があるのか、それは仕掛人の知るところではないが、羽沢の嘉兵衛は金百五十両の大金を梅安によこすという。

半金の七十五両は、すでに受け取っていた。

羽沢の元締の代人として、この殺しを梅安へたのみに来た五名《ごみよう》の清右衛門《せいえもん》は、

「その伊藤というさむらいは、この世の中にいてはためにならねえやつですから、安心をして殺《や》っておくんなさいまし」

といい、

「一年がかりでも、結構でござんす」

ともいった。

いずれにせよ、大名の家臣ひとりを、だれの目にもふれずに殺し、

「闇から闇へほうむってしまう」

のである。

町人や百姓とちがい、武家の殺しは、いろいろとむずかしい。

それだけに準備を慎重にし、金もつかって情報をあつめねばならぬし、大分に手間もかかる。

(さて……そろそろ、とりかかろうか……)

来宮神社の石段を下って行きながら、三十五歳の藤枝梅安の大きな躰に、精気がみなぎってきはじめた。

うまい魚にも、温泉にも、酒にも、もう飽《あ》いてきている。この飽和《ほうわ》の状態が、つぎの殺しへの情熱をかきたて意欲をそそる。それを仕掛人としての梅安は待っていたのだ。

石段を下る梅安の坊主あたまが、てらてらと午後の陽ざしに光った。

熱海の町の本陣・今井半太夫の前をすぎ、本湯《ほんゆ》からふきあげる湯けむりが漂う道を下って行く藤枝梅安の姿を、道の右側の〔次郎兵衛の湯〕という宿の二階からみとめた中年の浪人者が、はっと身を引いた。

梅安の宿は、海辺に近い下町にある〔伊豆屋久右衛門〕であった。

伊豆屋には内湯《うちゆ》がないので、梅安は朝と夕方に、本湯まで入浴に来るのが、ここへ来てからの日課であった。

道を下って行く梅安の背後に、〔次郎兵衛の湯〕から出て来た、あの浪人の姿があらわれた。

梅安は、いささかもこれに気づかぬままに、伊豆屋へ入った。

夕暮れが来た。

梅安が、宿に「明日は発《た》つよ」といいおき、手ぬぐいをさげて外へ出た。

夕闇の中に海の汐《しお》の香と湯の香がたちこめてい、海から帰って来た漁師たちとすれちがいながら、梅安は〔次郎兵衛の湯〕の前をすぎ、本湯の方へ去った。

その姿を、またも二階から、あの浪人が見まもっていた。

背丈《せたけ》の高い、がっしりとした筋肉質の体軀《たいく》だが、浪人の年齢《とし》は五十に近いだろう。きれいになでつけた総髪《そうがみ》に白いものがまじっている。

額《ひたい》と、両頬《りょうほほ》からあごへかけて深いしわがいくつもきざまれてい、切長の両眼の光りが青白く凝《こ》っていた。

「おい、井上さん。何を見ているのだ？」

内湯からあがって来た、別の浪人が声をかけると、

「いまな、ある男が下の道を通った。それを見ていた」

「ある男……？」

「さっきも見た。下の伊豆屋に泊っている」

「ふうん……」

「いや、はじめは別人かとおもった。すっかり面変《おもがわ》りがしていたので、な。だが、あの面《つら》は忘れぬ。忘れようとても忘れられぬ面よ」

「その男、どういう……？」

「おれの女房を殺した……」

「なんですと？」

「十年も前のことよ」

「ほう……これは、捨ててておけぬな、井上さん」

井上とよばれた浪人のこたえはなかった。

「井上さん。おれも手つだおう」

小肥りの、これはまだ若い浪人がいったとき、井上は軽く手を振って、こうこたえた。

「いや、仕掛人は金ずくで人を殺すものよ。おれもそのつもりでいたが、あいつの面を見かけたからには……銭金《ぜにかね》ぬきで殺《や》らねばならぬ。きゃつめ、あの風体《ふうてい》では、いまも鍼医者をしているらしい」

二

「もう、梅雨《つゆ》に入ったのかな……」

藤枝梅安が、窓を開けて、奥庭にふりけむる雨の中に深紅《しんく》の花をいっぱいにつけている石《ざく》榴《ろ》の花を見つめながら、

「彦さん。私はどうも、あの花を好きでないのだよ」

つぶやくように、いった。

ここは、梅安がなじみの料亭〔井筒〕の奥庭に面した離れである。

梅安は、もう十日も、この離れに泊り、一歩も外へ出ていない。

熱海から江戸へ帰ってから、かなりの日数を経ているはずであった。

浅草の橋場にある井筒に寝泊りをしているからには梅安、北品川・雉子《きじ》の宮《みや》の自宅を留守にしていることになる。

いま、梅安の前にいるのは、梅安と同じ〔仕掛人〕で、この近くに独り暮しをしている彦次郎だ。

おもてむきは〔楊子《ようじ》つくり〕をしている彦次郎だが、殺し屋としての経歴は、梅安より十年は古い。たしか、四十を三つ四つはこえているだろう。

二人は、たがいに、こころをゆるし合っている。

以前には協力して仕事をしてのけたことも、何度かあった。

「しかし、梅安さん。いつまで、ここにいなさる気だ？」

「彦さん、それがわからない」

「え……？」

「ともかく、熱海から江戸へ帰る途中で、私は、だれかに後をつけられていた。そいつは、私が雉子の宮の家へ入るのを見とどけたはずだよ」

「気の迷いじゃあねえのか？」

「そうではない」

「じゃあ、いってえ、どんなやつなのだ、梅安さん」

「それがわからない。私には顔を見せないのだよ。だが、たしかに後をつけられた。これは彦さん、おたがいになみの人間じゃあない。私の勘《かん》ばたらきに狂いはないはずだ」

「もっともなはなしだが……それで、こころあたりがあるのかえ？」

「私が仕掛人になって、かれこれ十年。殺《や》った人数は二十ほどだが、いつでも他人の目にふれたことはない、つもりだ」

「それは、おれも同じことさ」

「ただねえ、彦さん……若いころに、女ひとり、この手にかけたことだけは、知っている者がいるのさ」

「だれだえ？」

「その女の亭主だよ」

「ふうん……」

「ま、このはなしは、これくらいにしておこうか」

いって梅安が手を打ち、女中のおもんを呼び、熱い酒を命じた。

「それでね、彦さん。品川の家を出て、ここへ来た。出たときは、たしかに後をつけて来る者がいたけれども、うまく、まいてしまったよ。なあに、こっちはその気になっていたのだからね」

「なるほど」

「ここへ来てからは一歩も外へ出ない」

「ちっとも知らなかったよ。梅安さん」

「そこで彦さん。たのみがあるのだがねえ」

「お前さんのことだ。銭金《ぜにかね》ぬきにしてもらいてえな」

「そういわれると、返すことばがない」

「なあに、おたがいさまだ。以前は、むずかしい仕掛けを、お前さんの智恵で切りぬけたことが二、三度はある。そのお返しさ」

「すまないねえ、彦さん」

「それで？」

「今度ね、羽沢の嘉兵衛元締からたのまれた殺しの相手は、有馬様の御用取次役をつとめている伊藤彦八郎というさむらいなのだ」

「大きいね」

「百五十両で引きうけた。世の中に生きていては、ためにならねえ男だそうな」

「ふうん……」

「さぐりを入れて見てくれないかね」

「そうさな。おれもいま、ちょいと暇だし……それに、梅安さんはいますこし、ここを出ねえほうがいいらしい」

「わかってくれて、ありがたい」

と、藤枝梅安が袱紗《ふくさ》に包んだ二十五両の封金を彦次郎の前へ出し、

「これで、たのむよ」

「そうかえ。それじゃあ……」

彦次郎が、袱紗ごと金をふところへしまいこんだとき、女中が酒と、卵そうめんと、鰹《かつお》の刺身をはこんで来た。

女中が去ってから、梅安は鰹の刺身を口へ入れ、あぶらの浮いたふとい鼻を小指でなでつつ、

「ねえ、彦さん。私も、もう長いことはないような気がするよ」

と、いった。

「おれもさ、梅安さん」

「仕掛人で、長生きをしたやつがいただろうかね?」

「先ず、いめえね」

「そうだろうな……」

三

有馬侯の江戸上屋敷《かみやしき》は、芝の三田《みた》一丁目にある。

北面は、赤羽橋《あかばねばし》をへだてて、増上寺《ぞうじょうじ》の杜《もり》をのぞむ角地《かどち》にあり、このあたりの大名屋敷の中では群をぬいた宏壮の構えだ。

藤枝梅安が、殺しにかけようとしている伊藤彦八郎は、この有馬屋敷内の長屋に住んでいる。

伊藤がつとめている〔御用取次役〕というのは、殿様と謁見者《えっけんしゃ》との間を取り次ぐばかりではなく、種々の進物を披露《ひろう》したり、礼儀式典のことなどもとりあつかわねばならない。

絶えず藩主との接触があるわけだし、なかなかに重要な役目だ。

留守居役と共に、いちおうは江戸詰めで代々世襲《せしゅう》ということになっているけれども、よほどの才能がないとつとめきれぬ。

特殊な役目だけに、公用の外出には供《とも》もつくし、ときには乗物もゆるされるそうな。

このように多忙な重職にある伊藤彦八郎を、

（人知れず、そっと、一命をうばい取ってしまうためには……）

むろん、公務のときの伊藤をねらうわけにはゆかぬ。

また、藤枝梅安が有馬屋敷へ一人で入りこめるものでもない。

伊藤がもし、何か重い病いにでもかかっているというのなら、得意の鍼治療をもって接近する手段がないでもないが、しかし伊藤は、いたって健康らしい。

当年五十三歳の伊藤彦八郎は、でっぷりとした体軀で、髪もくろぐろとしてい、弁口《べんこう》もさわやかで殿様の有馬中務大輔頼貴《なかつかさたいふよりたか》から厚く信頼をされているとか……。

妻女との間に、二男二女をもうけ、食禄は三百石だが、役目柄、さまざまの収入があって、家計はゆたかである。

先ず、こうしたことが梅安にわかってきた。

あれから三、四日の間に、彦次郎が、これだけの報告をもって、料亭・井筒の離れへあらわれたのである。

梅安も、

（おれなら、こうしてさぐり出そう）

と、考えていたように、彦次郎はやってくれた。

それは、有馬屋敷の近くの、三田通りの料理屋や、または田町あたりの、有馬屋敷の中間《ちゆうげん》どもが酒をのみに来る居酒屋やめし屋などで、たくみに、ききこみをしたにちがいない。

酒をのませてやれば、こうした渡り中間などの口は、しごく軽くなるのであった。

「いや、ありがとうよ、彦さん」

「なあに……何も彼《か》も、これからのことさ」

「もうすこし、さぐりを入れてもらえるかね？」

「いわれるまでもねえ。おれはまだ、ほんの序ノ口のつもりでいるのだぜ、梅安さん」

「すまねえ。もうすこし、ここにかくれていたほうがいいとおもうのでね」

「その……お前さんをつけねらっている奴というなあ、ほんとうに、お前さんがむかし手にかけた女の亭主なのかね？」

「そういうこともある、ということさ」

「さむらいだ、とね？」

「剣術も強い浪人さ」

「なるほど……」

「彦さん。私が小さいころ、東海道・藤枝の宿場で、親父に死なれ、おふくろに逃げられ、途方《とほう》にくれていたとき拾いあげて下すった京の鍼医者・津山悦堂《つやまえつどう》先生のことは、前に、はなしたっけね」

「む。きいたよ」

「悦堂先生が亡くなったとき、私はもう、後をついで立派にやって行けるようになっていたのだが……そこで、間ちがってしまってねえ」

「その女かえ？」

「近くの寺の裏に住んでいた浪人者の女房の軽い病気を治療してやったのが、そもそもの、はじまりさ」

「そんなに、いい女だったかえ、梅安さん」

「すごかった……」

「え……？」

「躰がねえ……あんな、女の躰が、この世にあるとは……」

「よしてくれ。ふ、ふふ……梅安さんともあろうものがよ」

「亭主は剣術つかいで、月のうち半分は、大坂へ稽古《けいこ》に出かけている。それが女房にはもちきれない」

「へへえ……」

「そこで、私に手を出したのさ……いえ、そうなってからの私は、もう無我夢中というやつでね」

「そうなりゃあ、いずれ亭主の耳へも入るというわけか」

「入った。入ったら、女め、私がむりやりに犯して、もし嫌《いや》だというのなら、亭主にいいつけると脅《おど》し、何度も何度も……と、こうぬかしたものよ」

「女は、みんなそうさ。うそが人のかたちをしていやがるのだ」

「私も若かった。十年も前だものね」

「で、それから?」

「その浪人の亭主になぐりつけられた、木刀でね。その古傷が、いまも冬になると痛むよ」

ほろ苦く笑い、藤枝梅安は右の腰のあたりへ手をやったが、

「だが、それで、すませてくれたのは、剣術つかいにしては、出来すぎたほうだ。しかしね、彦さん……私は、どうしてもおさまらなかったよ。その女房の嘘《うそ》を、ゆるしてはおけなかった。それで……それで、やったよ。私が針をつかって人を殺したのは、そのときがはじ

めてだよ、彦さん」

「それが、また、仕掛人になるはじまりというわけだね」

「うむ……」

二人は沈黙した。

あれから、ずっと雨がふりつづいていた。

大川へそそぐ思川《おもいがわ》のながれを引きこんだ奥庭の茂みで、雨蛙が鳴いている。

四

藤枝梅安は、もう十日あまりも、品川台町の自宅に帰っていない。

雉子の宮の社《やしろ》の南面の、こんもりとした木立にかこまれたわら屋根の小さな家へは、毎日、近くの百姓の老婆が見まわりに来てくれているはずであった。

その、梅安の家の東に、木立や田畑にかこまれて奥州《おうしゅう》・仙台六十二万余石・松平陸奥守《むつのかみ》の下屋敷がある。

大名の上屋敷は公邸であるが、下屋敷は別荘のようなものだし、藩主が見えることはめったにない。屋敷内の家来の人数も少ないし、むろん、上屋敷にくらべて気楽なものだ。

そこで、下屋敷につめている渡り中間たちが中間部屋を博奕場《ばくちば》にしてしまう。ここには

種々雑多な人間が出入りをするわけだが、家来たちも、

「見て見ぬふり」

をしている。

中間部屋から、しかるべく〔鼻薬〕を嗅《か》がせてあるからだ。

松平家（伊達藩）の下屋敷は、ほかにいくつもあるし、大大名《おおだいみょう》だけに、かえって目がとどかぬこともあって、三日に一度、ときには毎日のように博奕がはじまる。

その中間部屋に、六日ほど前から浪人者がひとり、寝泊りをするようになっていた。小肥りの、三十がらみの浪人である。深川・大島町《おおしまちょう》にある水野土佐守下屋敷の中間部屋からの引き合わせで博奕をしにあらわれたのだが、たちまちに松平屋敷の中間どもから、

「先生、先生……」

と取り巻かれるようになり、

「ここが気に入った。すこし、寝泊りさせてくれぬか」

浪人がいうと、一も二もなかった。

こうしたことはめずらしいことでもない。

中間どもが、友達のごろつきを寝泊りさせるのは、いつもしていることであった。

浪人は、博奕も強いが酒も強い。金ばなれがよく、勝負でふところへ入った金を威勢よくつかい、中間たちへ飲ませたり、元手を貸してくれたりするのである。

浪人は「佐々木先生」と、よばれていた。

佐々木八蔵は、熱海の湯で、藤枝梅安を見かけて「殺《や》らねばならぬ」といいきった井上浪人と、いっしょにいた男なのだ。

井上、名は半十郎。

彼が、妻・るいを梅安に殺された〔剣術つかい〕であることは、もはや、うたがう余地がないであろう。

ところで……。

佐々木八蔵は、松平家下屋敷の中間部屋に寝泊りをしながら、昼すぎから、

「ちょいと、出て来る」

いいおいて、ぶらりと裏門から何処《どこ》かへ出かけて行く。

夜に入って帰って来るときは、かならず、中間たちへ酒を買って来るものだから、連中は、

「先生がいつまでもいておくんなさりゃあ、おいらどもの酒代《さかて》が浮きまさあ」

などと、大よろこびである。

こうして、また五日ほどがすぎた。

その夜……。

「ここの中間部屋に、佐々木八蔵殿がおられるかな」

こういって、松平屋敷の裏門へたずねて来た中年の浪人は、井上半十郎であった。

「さ、どうぞ、お通りなさい」

門番の足軽が、すぐに半十郎を中間部屋へ通した。

この夜も、雨がけむっていた。

佐々木と、井上半十郎は、博奕場と化した中間部屋の一隅で、冷酒をなめながら語り合った。

「井上さん。梅安のやつは、まだ手前の家へ帰って来ませんよ。このあたりの病人が待ちかまえているらしい。やつの鍼は効《き》くらしい」

「そうか……おれも、あっちこっちをさがしまわっているのだが、さっぱり見かけぬ。おもえば、熱海から後をつけて、そこの雉子の宮の前の家へ入ったときに、斬りこめばよかった」

「ですがね、井上さん。あいつ、道中で気づいていましたぜ、われわれが後をつけていることを……」

「そのことよ、そのことよ。うかつに斬りこんでも逃げられてしまったろう」

「寸分《すんぶん》の隙《すき》もねえ身のこなしでしたからな」

「そのことよ、そのことよ」

凝然《ぎょうぜん》として井上半十郎が、

「梅安め、ただの鍼医者ではなくなっている」

と、うめくがごとくに、

「いずれにせよ、すまぬ。上方《かみがた》で一仕事したので、のんびり熱海の湯につかり、それから半年ほどは江戸見物をするつもりでいたのに、な」

「なあに、これもおもしろい。どこまでも手つだいますよ」

「もしやして……」

「え？」

「あの、梅安めも、われらとおなじ仕掛人になっているのではないか、な？」

「なんですと……？」

「そのような気が、なんとなくする。あいつの後をつけている間に、ふっと、そうおもった……」

「ほう……」

ちょうど、そのころであった。

いま、二人が語り合っている松平下屋敷の東、奥平《おくだいら》大膳大夫《だいぜんだゆう》・下屋敷と道ひとつをへだてたところにある有馬家の下屋敷内に、仕掛人の彦次郎がいたのである。

ここも下屋敷だけに、夜ともなれば中間部屋が博奕場と化す。

彦次郎が、かねてなじみの、本所・北中之橋《きたなかのはし》にある津軽家・下屋敷の中間部屋の口ぞえで、この有馬下屋敷の中間部屋へ博奕をしにあらわれたのは、四日前のことだ。

彦次郎は、平常の無口な彼とは別人のような愛嬌《あいきょう》をふりまき、きれいに金をつかい、やって来るときは、

「みなさんで、やっておくんなさい」

と、酒の角樽《つのだる》を欠かさなかった。

有馬屋敷の、ごろつき中間どもは、彦次郎を、

「兄き、兄き」

といい、下へも置かぬようになってきていた。

五

彦次郎が、かるく遊んで有馬の下屋敷を出たのは、五ツ半（午後九時）ごろであったろうか……。

有馬の中間部屋にいる小頭《こがしら》で留造《とめぞう》というのが、この正月に、三田の上屋敷から、こちらの下屋敷へ移されたことがわかったのは、つい、昨夜のことであった。

彦次郎が愛想《あいそ》よく近づいて行き、みやげの酒を出すと、留造もきげんよく相手になってくれた。

だが昨夜は、梅安が目ざす伊藤彦八郎のことには、すこしもふれなかった。

(もうすこし、近づきになってからでねえと、かえって怪しまれる)

からである。

その留造が今夜はいない。

用事があって、上屋敷へ出かけ、明日の夕方でないと帰らぬという。

(ま、いい。何も急ぐにゃあおよばねえ)

彦次郎は、外へ出て傘《かさ》をひろげかけて、

「やんだのか……」

と、夜空を見上げた。

ふりつづいていた雨が、いつの間にかあがっている。

単衣《ひとえ》の裾《すそ》をからげて足駄《あしだ》。傘を左手に、提灯《ちょうちん》を右手に持った彦次郎が薩摩《さつま》屋敷の西側を表通りへ出た。

この道は、二本榎《にほんえのき》から伊皿子《いさらご》を経て、三田に通じている。

(たしか、梅安さんの住居《すまい》も、この近くだったはずだが……)

そうおもって振り向いたとき、品川台町の坂道をあがって来た人影が、彦次郎のすぐうしろへ近づいて来た。

がっしりと背の高いさむらいである。

夜目にも、浪人と知れた。

(……?)

彦次郎の足が釘《くぎ》づけとなった。

このとき……。

この浪人が、いま、松平下屋敷の中間部屋から出てきた井上半十郎だということを、彦次郎は知らない。

半十郎もまた、目の前に立っている町人が、藤枝梅安のただ一人の友だちだとは考えてもみなかった。

それでいて、二人は一瞬、夜の闇の中に立ちつくし、にらみ合うかたちとなった。

それはやはり、二人が仕掛人であったからだ、というよりほかにいいようがないことであった。

殺し屋としての特殊な、とぎすまされた神経が、たがいに、

(こいつ、ただものではない)

と、反応し合ったのであろう。

井上半十郎が、うごいた。

ふわりと、彦次郎の右脇をすりぬけて行った。そのとき、横目でこちらを見た半十郎の細い眼の不気味な光りに、彦次郎は左手の傘をつかみ直したほどである。

提灯も持たぬ半十郎が、ゆっくりと遠去かり、闇の彼方に消えてからも、彦次郎はしばらく、そこをうごかなかった。

ややあって、彦次郎が急に、身ぶるいをした。

（もしや……あの浪人、梅安さんをつけねらっている剣術つかいではねえのか……？）

はっと、おもいあたったのである。

（もしや……梅安さんの住居を、見張っていたのじゃあねえか？）

であった。

翌日の午後になって……。

彦次郎は浅草・橋場の〔井筒〕へあらわれ、

「実はね、梅安さん……」

昨夜のことを語った。

浪人の顔かたち、躰つきなどをきき終えて藤枝梅安が、

「やっぱり、ね……」

おどろく様子もなく、

「仕掛人の私が、今度は、このいのちをねらわれることになったわけだね」

「どう見ても、ただの浪人ではねえ。だいぶ、人を殺《や》っているよ」

「だろうなあ」

「もしやして、おれたちと同じ、仕掛人になっているのじゃあねえか？」

「そうではない、とはいえないね」

「梅安さん。どうなさるえ？」

「まず、当分は、ここをうごけないようだね」

昨夜あがった雨は、まだ降って来ない。

うす陽がもれているようだ。

二人は、黙念と酒をのみつづけた。

「彦さんは今夜も、有馬さまの下屋敷へ行ってくれるのかね？」

「行くつもりだ。今夜はその、留造という中間が上屋敷からもどっているはずでね。まず、そいつに酒をのませ、博奕の元手をすこし、くれてやれば、御用取次の、伊藤彦八郎のうわさぐれえは洩《も》らしてくれようよ」

「あ……」

「どうしなすった？」

「いま、気がついた」

「何を？」

「私が殺《や》ろうとしているやつも、やっぱり彦さんだ、ということをさ」

「そうだ。ちげえねえ」

「ふ、ふふ……」

「あは、はは、は……」

それから三日のちの夕暮れどきに、また、彦次郎が〔井筒〕へやって来た。

藤枝梅安は〔井筒〕へ持って来ている治療用の鍼《はり》の手入れをしているところであった。

何十本もの、金属管の細い鍼を焼酎《しょうちゅう》で消毒している梅安の手つきをながめながら、

「このごろはおれも、肩や背中が凝《こ》って仕方がねえ」

と、彦次郎がいった。

「なんだ、彦さん。早くいってくれればいいのに……ま、見せてごらん」

彦次郎を寝かせて、躰をなぜまわしていた梅安が、すばやく、たてつづけに鍼を打った。

「どうだ、彦さん。すこしも痛くはないだろう？」

「ほんとだ。おれは、はじめてだが……」

「お前さんは食《しょく》が片寄っているのだ。その上、独り暮しで、食いたいときにしか食わない。それがいけない。だいぶんに胃がいたんでいるよ」

「そ、そうかね」

「豆腐《とうふ》が好きで、だから豆腐ばかりというのではいけない。大根だの牛蒡《ごぼう》だの、いろいろに食べなくてはね」

「そうかねえ」

「ほれ……すこしは楽になったろう?」

「どうも、そんな気がする」

「ま、今夜は、ゆっくりのもうよ、彦さん」

「そうしよう。ところで梅安さん。伊藤彦八郎のことが、すこしはわかってきたぜ」

「そうか、ありがたい」

また、雨がふり出してきた。

梅安は、みずから立って〔井筒〕の板場へ行き、酒と料理をあれこれと注文し、また〔離れ〕へもどってきた。

「彦さん、梅雨《つゆ》の冷えは特別のものだねえ」

「まったく、気がくさくさする」

「彦さんが食べなくてはいけないものを、いま、注文してきた」

「へへえ……」

やがて、小さな焜炉《こんろ》に土鍋《どなべ》をかけたものが、はこばれてきた。中には大根と油揚げのみであった。

「出汁《だし》が鶏《とり》さ。ま、食べてごらん」

「む……悪くねえ」

「こういうものも、たまにはいいだろう」

「いいね。うめえよ」

「ときに……？」

「うむ。その伊藤彦八郎というのは、有馬さまの上屋敷では大した羽振《はぶ》りだというぜ。殿さまが大《だい》のお気に入りで、御家老衆も伊藤には一目《いちもく》も二目《にもく》もおいているそうだ。こいつはたしからしい。その中間部屋の小頭・留造からきき出したんだが……殿さま御寵愛《ごちょうあい》をいいことに伊藤の彦さん、だいぶ、いい気になっているらしいね」

有馬屋敷へ出入りをする商人たちから、伊藤に内密でとどけられる賄賂《わいろ》の金品《きんぴん》も非常なものだそうな。

もともと有馬家は、殿さまの親族が家老職や重役職に就いていて、むかしから万事に堅苦《かたくる》しく、三百石の御用取次役が威勢をふるうことなど、

「おもいもよらなかった……」

そうである。

伊藤彦八郎が亡父の跡目《あとめ》をつぎ、御用取次役となってからは、殿さまの有馬中務大輔頼貴が、まだ藩主にならぬ前から、たくみに取り入り、頼貴が天明四年に亡父・頼徸《よりゆき》の跡目をつぎ、久留米二十一万石の君主となってからは、伊藤彦八郎の存在が、にわかに大きいものとなった。

だからといって伊藤は、何も立身出世をのぞむというのではなく、ひたすら殿さまの愛寵

を楯《たて》にして、金品をふところへためこむことに情熱をかたむけているらしい。

出入りの商人たちとの交渉にあたる家臣は、別に何人もいるわけだが、伊藤は〔取次役〕の職務を利用し、豪商たちと殿さまを、

「直接《じか》に近づけてしまう」

のだという。

殿さまを、おしのびで外へさそい出し、二十一万石の大守《たいしゅ》が、とうてい味わうことのできぬさまざまなたのしみを、伊藤が仲に入って中務大輔頼貴へ取りもちをする。

殿さま、大よろこびらしい。

それに加えて伊藤彦八郎は、ぬけ目なく、殿さまのまわりの家臣たちを金品で釣っているから、気むずかしい家老や老臣たちも手が出ない。

「ま……いまのところは、そんなところさ」

と、彦次郎がいった。

「ありがとうよ。いろいろ、わかってきたよ」

「伊藤彦八郎はね、木挽町《こびきちょう》の料理屋、酔月楼《すいげつろう》がひいきで、ときどき出かけるそうだぜ」

「ほう……そいつはいい」

「仕事のめどがついたかえ?」

「つきそうだよ」

「いま、ひと息だ」

「もうすこし、手つだっておくんなさるかね？」

「乗りかかった舟だ。おれもなんだか、おもしろくなってきた」

「ねえ、彦さん。伊藤を殺《や》って、残る半金の七十五両を羽沢の元締からうけとったら……どうだ、その金をみんなつかって、伊勢詣《まい》りにでも行かないか？」

「ほんとかい？」

「たまにはいいだろう、私といっしょに、何も彼かも忘れて旅をするのも……」

「異《い》存《ぞん》はねえ、が……お前さんの稼《かせ》ぎがむだになっちまうぜ」

「むだはいまさらいうことでもない。そもそも、私やお前さんが、こんな稼ぎをしていることが世の中のむだなのだからね」

「ちげえねえ」

と、盃を置いて彦次郎が、

「それにしても梅安さん。その、井上なにがしとかいう浪人には、気をつけなくちゃあいけねえ」

「そうさね。そのことが、ね……」

「なんなら、お前さんのかわりに、おれが伊藤を片づけてもいいぜ」

「いや、伊藤の息の根は私がとめるよ。それよりも彦さん。もうひとつ、別のたのみがあるのだけれどね」

「いいとも」

六

藤枝梅安の留守宅へ、日に一度は、かならずあらわれ、掃除をしてくれるのが老婆・おせきである。

おせきは、近くの百姓・茂兵衛《もへえ》の女房であるが、息子には嫁もいるし、気楽な身の上で、梅安からかなりの小づかいをもらい、掃除や洗濯に通《かよ》って来てくれる。

おせきは、昼前から来て日暮れまで梅安の家にいて、着物のつくろいをしたりしている。

いつ、梅安が帰ってくるか知れないからだ。

小さな風呂桶には、いつも水をみたし、薪も用意し、

（いつなんどき、先生がお帰りになっても、すぐに入《へえ》ってもらおう）

という、こころづもりなのだ。

留守番をしているおせき婆のところへ、

「先生は、いつ、もどって来るのかね？」

「うちの女房が寝込んじまって、どうにもならねえ。早く診《み》てもらいたいもんだが……」

などと、近辺の人びとがやって来ては、梅安の帰宅を待ちかねている。

品川台町の下駄屋の金蔵も、いったんは梅安の鍼で病気がよくなったのだが、梅雨に入ってから、また加減《かげん》が悪くなり、「ええ畜生《ちくしょう》め。梅安先生の坊主あたまを見ねえうちは、もう死んじまうばかりだよう」

わめき散らして、女房を困らせているらしい。

この日は、朝から陽がさしていた。

梅雨のはれ間であった。南面にひろがる村々でも、高台の武家屋敷にはさまれた町家でも、いっせいに女房たちの洗濯がはじまったようだ。

昼すぎに用事をおもいだし、我家《わがや》へ行ったおせきが、梅安宅へもどって来たのは、八ツ(午後二時)ごろであった。

そのとき、雉子の宮の社の石段を下って、鳥居をぬけて来た小肥りの浪人と、おせきはすれちがった。

これまでに二、三度、この浪人が雉子の宮の境内をぶらぶらしているのを、おせきは見ていたが、別に、気にもとめなかった。身なりもきちんとしているし、怪しむべき様子はどこにも見えない。おせきと眼が合っても浪人は平然としていた。

(この近くの、どこぞのお屋敷で居候《いそうろう》でもしているお人だろ)

と、おせきはおもっていた。

すれちがいつつ、

「今日は、いいあんばいで……」

おせきがうすくなった白髪《しらが》あたまを下げると、浪人は、にっこりとうなずき、台町の方へ去って行った。

おせきは、すぐに梅安の家へ通ずる木立の小道へ入りかけると、そこに男が立っていて
「おせきさんですね?」と、声をかけて来た。

男は、彦次郎である。

「へい、そうでござえますよ」

「私は、梅安先生の使いの者で」

と、彦次郎は大声にいった。

「おや、まあ……いったい、先生は、どこにいるんでござえますよ?」

「へい。ちょいと、深川の方にね……それで、明後日《あさって》の暮れ六ツまでには、お帰りになるそうだから、すぐに湯へ入れるようにしておいてくれ、と、こういいつかりましてね」

「へい、へい。そりゃもう、ちゃんと心得ていますよう」

「それと、酒を買っておいてくれといっておいでなさいましたよ」

「へいへい。明後日の暮れ六ツまでにね?」

「そうさ、お帰りになる」

「先生にね、このあたりの人たちが待ちかねていると、つたえておくんなよう」

「ようござんすとも。じゃあ、たのみましたぜ」

彦次郎は、すぐに去った。

それから一刻（二時間）ほどして、そろそろ我家へ帰ろうかと、おせきが腰をあげたところへ、

「だれか、いるかね？」

「へい？」

見ると、あの小肥りの浪人ではないか。

「こりゃ、まあ……」

「ここに、鍼《はり》のうまい先生がおいでだそうな」

「へい、へい」

「私は、有馬様御屋敷内にいる者だが、どうもこのところ、腹のぐあいが悪うて困っている」

「それは、まあ……先生は、明後日、お帰りになりますよ。いま、お使いの人が見えて、そういってましたがよ」

「ほう、そうか。明後日な……」

「へい。暮れ六ツまでにはお帰りだそうで。いえなに先生はよ、夜分でも診て下さいますか

らよ、遠慮なしにおいで下せえましよ」

「む、そうしよう。いや、ありがとう」

浪人は、帰って行った。

いうまでもなく、佐々木八蔵である。

八蔵は、彦次郎が梅安の家をたずねた姿を雉子の宮の本社から見下ろしていたし、出て行く姿も、品川台町の町家の細道からみとめていた。

(あの男、何者か?)

それで、おもいきってさぐりに出たのであった。

この夜。

有馬屋敷の中間部屋をおとずれた井上半十郎に、佐々木はすべてを告げた。

井上は沈思《ちんし》した。

「井上さん。やつは、もう、ほとぼりが冷《さ》めたとおもい、帰って来るのだろうよ」

「さて、な……」

「どうする?」

「どうもこうもない。今度は逃さぬ。もっとも、その使いの男のことばどおり、梅安が帰って来ればのはなしだが……」

「おれも、手つだいますよ」

「たのむ。うかうかしていると、また逃げられてしまうからな」

「御内儀《おないぎ》の敵討《かたき》ちですな」

「おれは梅安が憎い。十年前のあのとき、おれは、やつを斬らなんだ。ゆるしてやったのに
……殺した、おれの女房を……それが憎い。それが、くやしい」

「井上さんの御内儀は、よほどに、よい御内儀だったのだなあ」

井上半十郎のこたえはなかった。

そのころ、料亭〔井筒〕の離れでは……。

藤枝梅安と彦次郎が、しずかに酒をくみかわしつつ、何やら相談をしていた。

梅安が、かねて用意をしておいたらしい細長い風呂敷包みを、

「みんな、入っているからね、彦さん」

こういって手わたすと、

「こいつをつかうのは、久しぶりだ」

彦次郎がなつかしげにつぶやいた。

夜ふけて、井筒を出た彦次郎は、浅草・橋場の船宿〔ひしや〕から舟を出させて、何処《どこ》か
へ去ったのである。

それから梅安は、女中をよんで、

「明日の朝は、起さないでいいよ」

といい、やがて長さ三寸あまりの太い針を三本、小さな砥石《といし》にかけはじめた。

また、雨の音がしはじめた。

梅安は、一心に針を研《と》いでいる。わき目もふらない。団栗《どんぐり》のような小さい両眼は、ほとんど閉じられたかのように細められていた。

七

翌日。梅安は昼ごろになって眼をさました。

それと知って、井筒の座敷女中のおもんが、茶室めいた離れへ入って行くと、これまでは気《け》ぶりにも見せなかった梅安が、

「おい……」

ささやくようにいいかけ、寝床の中からいきなり、おもんの腕をつかんだ。

「あれ、先生……」

「いけないか……どうだ?」

凝《じっ》と見つめられて、おもんは身うごきができなくなった。

おもんは、三十五になる。

芳太郎《よしたろう》という九つになる子を、阿部川町《あべかわまち》に住む大工の父親のところへあずけて、自分は

〔井筒〕ではたらいているのだ。

よくはたらくが、無口で、どちらかといえば陰気な女である。亭主とは死別れていた。

「せ、先生。そ、そんな……」

おもんは、あえぎはじめた。

大きくはだかった梅安の厚くひろい胸肌が寝あぶらに光っているのを見て、おもんは目がくらむようになった。

梅安は、もう何もいわない。

その両眼だけが一念をこめ、強烈なちからでおもんの意力をうばいとりつつあった。

「あ……」

抱きすくめられ、抱き倒され、帯もとかぬままに、おもんの乳房が梅安の手の中にあった。意外なほどのふくらみをたたえた乳房であった。

「せ、先生。いけませんったら……」

「いいよ」

「で、でも……」

「いいのだ」

もう、さからえなかった。

ぐったりと、おもんが四肢《しし》のちからをぬいた。

梅安の腕からはなれたとき、おもんは、たもとに顔をおおい、次の間へ走りこんで身じまいを正し、口もきかずに離れから出て行った。

朝昼兼帯の食事を運んで来たのは、別の女中である。

梅安は、

「おもんは、どうした?」

ともきかなかった。

この日も、依然として梅安は、井筒の離れからうごこうとしない。

ふりけむる雨の音を、ぼんやりとききながら、寝そべって時をすごすのみなのである。

夕暮れになって、酒をはこんで来たのは、おもんであった。

寝そべったまま、振り向きもせずに、梅安がいった。

「さっきのことを、怒っているのかえ?」

間をおいて、おもんが、

「おどろいてしまって……」

と、こたえた。声にうるみがある。女のうれしさがこもっている。別の女の声としかおもえない。

「急にね、急に……」

「はい?」

「私は急に、なんだかもう、死んでしまうような気がしたのだよ、目がさめたときにね」

「まあ……だって先生、まだ、四十にもおなりにならないそうじゃございませんか」

急に、おもんが、これだけの口をきくようになった。梅安は瞠目《どうもく》した。

「だからね、だから……」

梅安のほうがむしろ、へどもどとなって、

「だから、女が急に、抱きたくなったのさ。なんだかもう、おのれの、この世が終りになりそうにおもえて、さびしくなった、のかも知れない」

「先生。なにを、おっしゃるんです」

おもんが、梅安の背中へ寄りそい、指で、脇腹のあたりをゆっくりと撫《な》でながら、

「お酒を……」

「うむ」

半身を起し、梅安が、おもんのえりあしへくちびるをあてた。おもんは化粧のにおいをさせている。

かつてないことだ。

この夜ふけに、おもんは我から離れへ忍んで来た。

これまで堪《た》えに堪えていたものが、いっせいに堰《せき》を切ったような激しさで、おもんは梅安にこたえた。

ちょうどそのころ……。

彦次郎は、雉子の宮の梅安宅へ潜入していたのである。

おせき婆さんが簡単な戸締りをしておくだけだから、切出し一つをつかって台所の戸を外し、彦次郎はわけもなく中へ入った。

梅安自身から屋内の様子は、くわしくききとっていた。

(ふうん……梅安さん。しゃれた家《うち》に住んでるなあ)

八畳に六畳の二間。玄関を入って土間。廊下も何もなく、土間と二つの部屋の間に、長四畳の板の間がある。

彦次郎は、この板の間の天井板を外《はず》しておいてから、蠟燭《ろうそく》をともし、手にした風呂敷包みをひらいた。中には別の包みが入っている。これは昨夜、藤枝梅安がわたしてよこしたものだ。

そのほかには脇差《わきざし》が一つ。にぎりめしに醬油《しょうゆ》をつけて焼いたものが五個。これは竹の皮に入っている。

それから、竹でつくった水筒。

これだけの物を、踏台《ふみだい》をつかって天井裏へ運び上げておいてから、彦次郎は梅安のつかっている夜具を引き出し、ねむりに入った。

翌朝早く、彦次郎は起き、夜具を片づけ、台所にあった空《から》の水桶《みずおけ》を一つ抱いて、天井裏へあがった。

昨夜のうちに、天井裏の二重梁《はり》へ綱をかけておき、これを下へたらしておいたのだ。

だから、上へのぼって綱を手《た》ぐりあげてしまえば、まったく痕跡《こんせき》は残らないのである。

天井裏へあがってから彦次郎は、焼きむすびを二つ食べ、すこし、水をのんだ。

昼近くなって、おせき婆さんがあらわれ、掃除をはじめる物音を、彦次郎は天井裏できいていた。

わら屋根を打つ雨音は、また別のおもむきがある。

昼すぎてから彦次郎は、とろとろとまどろんだ。

彦次郎が目ざめたとき、おせきがしきりにうごきまわっている気配がした。

(もうじき、梅安さんが帰って来る)

そうおもいながら、焼きむすびを三つ食べ、水をのんだ。

それから空の水桶へ音がしないようにして、小用《こよう》を足した。

それから、梅安がよこした細長い包みをひらき、中のものを取り出し、仕度にかかった。

やがて……。

藤枝梅安が駕籠《かご》で帰って来た。

「あれまあ、先生。どこにいなさったのだよう」

と、おせきがいっている。

「ちょいと、降りて来ないか」

「いけねえ。そいつが油断というものだぜ。いつなんどき、あいつらが斬りこんで来るか知

「なんの、たった一日のこった」

「すまぬなあ」

「いるよ、梅安さん」

と、声をかけてきた。

「彦さん、いるかえ？」

梅安が、板の間へ出て来て、

ややあって……。

あいさつをして、引きとって行った。

「それじゃあ先生。また、明日」

飯を炊《た》き、味噌汁をつくり、酒の用意をして、湯あがりの梅安に膳を出してから、

おせきは、梅安の入浴がすむまで帰らなかった。

「あれまあ、すみませんねえ、先生……」

「長い間、すまなかったね。ほら、これは、いつものとは別のごほうびだよ、婆さん」

「そろそろ、わくころだがね」

「風呂は？」

れたものじゃあねえ」

「なるほど。それでは、私は熱い飯に生卵《なまたまご》をかけて食う。わるいなあ」

「いいってことよ」

「私は、この下の板敷きに寝るからね」

「わかった。すっかり見えるよ」

「たのむよ、彦さん」

「ぞくぞくしてきやがった」

「私が殺《や》られたら、逃げておくれ。いいかい？」

「ま、いい。そういうことにしておこうよ」

八

夜に入ってから、雨音が強くなった。

梅安は、二つの部屋にではなく、彦次郎がひそんでいる天井裏の真下の板敷きへ夜具をのべ、着衣のまま横たわった。

いつも寝間にしている八畳の間には、行燈《あんどん》を灯《と》もしておいて、玄関の土間に接した板敷きの間には、灯《あか》りをつけない。土間との境は障子であった。

そして、八畳と板敷きの間の襖《ふすま》は、わざと引き開けておいた。

しばらくしてから、

「おい、彦さん……」

寝たままで藤枝梅安が、天井裏へ声を投げると、

「梅安さん。もう、しゃべっちゃあいけねえ」

と、彦次郎が押し殺した口調で、

「来る。きっと、来る」

「そう、おもうかね」

「虫が知らせたよ、梅安さん」

「私もだ」

「やっぱり……」

「この勘は、めったに狂ったことがない私だ」

「おれもさ」

「では、いいな」

「もう、口をきかねえぜ」

「心得た」

そして……。

どれほどの時間が、すぎて行ったろう……。

いつしか、雨音が絶えている。

急に……。

梅安の真上の天井板が、コツコツと音をたてた。

彦次郎が、知らせてよこしたのだ。

そして、その天井板が二枚ほど音もなくひろげられ、天井裏の闇に、彦次郎の両眼が白く光った。

梅安も、気づいていた。

ひたひたと……。

近づいて来た二人の足音が、家の表と裏にまわって行くのへ、梅安は耳をすませた。

ねむっていたら、とうてい気づかぬほどの足音であったが、雨にぬれつくした土をふむそれだけに、研ぎすまされた梅安と彦次郎の聴覚《ちょうかく》が、これをとらえたのにふしぎはない。

と……。

足音が消えた。

息づまるような一瞬の後に、すさまじい音がして、裏の戸と玄関の戸が同時に叩き破られた。

押しこんで来た二人が、体当りをくわせたにちがいない。

玄関の土間から障子を蹴破り、大脇差をふりかぶって突入して来た浪人は、まさか、そこの板敷きに梅安が寝ていたとはおもわなかったろう。

「あっ……」

叫んだときには、夜具をはね退《の》けて飛び起きた藤枝梅安の、まるで海坊主のような巨体が浪人の躰へ、恐ろしい勢いでぶつかっていった。

「わあっ……」

浪人の絶叫があがった。

このとき……。

裏手から突入した別の浪人が、台所から六畳の間へ出て、境の襖を蹴倒し、一気に八畳の間へ躍りこんで来た。

八畳には灯りがある。

浪人の姿が、はっきりと浮きあがった。

井上半十郎である。

半十郎も、

（ここぞ……）

と、目ぼしをつけた八畳の間が、もぬけの殻《から》だった上に、おのれの姿が灯りで露呈《ろてい》されたものだから、

「うっ……」

うめいて、構えた大刀のやり場に困ったかたちとなったが、同時に、板敷きから玄関の土間へかけて、組合った梅安と佐々木八蔵が凄《すさ》まじい物音をたてて重ねもちに倒れたので、

「おっ……」

一歩、こちらへ踏み出した。

その転瞬。

天井裏から、するどい音と共に疾《はし》り出たものが、細い閃光《せんこう》の尾を引いて、井上半十郎の喉《のど》と眼へ突き立った。

彦次郎が仕掛けた吹矢《ふきや》の、円錐形《えんすいけい》の矢が半十郎を襲ったのである。

「あっ……」

たたらをふんで半十郎が、

「くそ……」

それでも必死に物蔭へ逃げこもうとしたくびすじのあたりへ、またも二つの矢が喰いこんだ。

「う、うう……」

急所だけに、さすがの〔剣術つかい〕が、大刀を落し、打ち倒れてころげまわった。

「むう……」

と、これは、玄関の土間で、梅安にとどめを刺された佐々木八蔵の最後のうめき声であった。

翌朝もおそくなって……。

おせき婆さんが梅安の家へあらわれたときには、何事もなかったように、

「婆さん。掃除をしたら、今日は早く帰っていいよ」

梅安が、八畳の間の寝床にいて、声をかけたものだ。

「ありがとうごぜえますよ、先生。あ、そうだ。ちょいと小肥りの浪人さんが見えませんでしたかえ？」

「え……いや、来ないよ」

「あれまあ。腹のぐあいが悪いとかで、先生に診ていただきてえと、そういって……」

「ほほう……」

「なんでも、そこの有馬さまの下屋敷にいるおさむらいだとかで……」

「有馬様の、ねえ……」

「どうしたんだろ。腹ぐあいがよくなったのかも知んねえね、先生」

「大方、そんなところだろうよ。うふ、ふふ……」

九

有馬中務大輔頼貴の家来で、御用取次役をつとめていた伊藤彦八郎利慶《としよし》が変死をとげたのは、この年の梅雨があがって間もなくの、夕暮れであった。

この日。

伊藤彦八郎は、日本橋本石町《ほんこくちょう》四丁目の紙問屋・大和屋小左衛門の招待をうけ、行きつけの、木挽町《こびきちょう》の料理屋・酔月楼へおもむいた。

大和屋が、有馬屋敷へさし向けた迎えの駕籠へ乗って、伊藤が酔月楼へ着いたのは七ツ(午後四時)ごろであったという。

それから半刻ほど、伊藤は大和屋と用談をした。

用談がすんで、いよいよ、酒が出る。

妓《おんな》たちもあらわれようというときに、上きげんの伊藤彦八郎が小用に立った。

なじみの座敷女中がつきそって行こうとするのへ、

「よい、よい」

と、伊藤が手を振って去らせた。

勝手知った酔月楼であるから、当然のことだったろう。

ところが……。

いつまでたっても、伊藤が座敷へもどって来ない。

「伊藤さまは、いったい、どうなされたのだ。だれか、ちょいと見ておいで」

たまりかねた大和屋小左衛門がいったので、女中のおさわが奥庭の突き当りにある雪隠《せっちん》（便所）へ、様子を見に行った。

立派な雪隠である。

廊下から一段低くなったところの石畳をわたって行くと、腰板のついた障子戸があり、これを開けると、中が雪隠で、常時、香《こう》がたきこめられてある。

で……。

その、雪隠の障子戸を引き開けたとたんに、おさわが、

「きゃあっ……」

悲鳴をあげたかとおもうと、そのまま、へなへなとくずれ倒れ、気をうしなってしまった。

大さわぎになった。

雪隠の中で、伊藤彦八郎が仰向けに倒れていた。

伊藤の心ノ臓のあたりへ、ふかぶかと三寸ほどの鋭利な針が突き刺さっていたのである。

それから半月後の或日《あるひ》の午後。

旅姿の藤枝梅安と彦次郎が、東海道を下っている。

いま、二人は、江戸から八十里あまりをはなれた三河の国・岡崎を出て、池鯉鮒《ちりゅう》の宿場をすぎたところであった。

まっ青に晴れあがった夏の空に、雲の峰がむくむくとわきあがっていた。

二人は、これから宮《みや》（熱田）まで行き、舟で桑名《くわな》へわたり、ここから伊勢詣りの道中に入るつもりだ。

伊勢詣りをすませてから奈良、大坂、京都と見物してまわり、その後は、まだ、「わからない」のである。

「ねえ、梅安さん」

「む？」

「おれたちは、お伊勢さまへ、なんのためにお詣りをするのだろうね？」

「わからぬな」

「おれにもわからねえ」

「他人の血でよごれた、この二人の手を、いまさら、伊勢大神宮の水で洗い清《すすぎ》めたところで、どうにもなるものでもあるまいにな」

「そうさ。そのとおりだ」

「私はとうとう、井上半十郎夫婦を、この手で……」

「待った。半十郎を吹矢で仕とめたのは、このおれだよ」

「ま、それは、そうだが……」

「何も彼《か》も、うまく行ったねえ、梅安さん……それにしても、お前《ま》はんが、酔月楼の雪隠で伊藤彦八郎を仕とめた芸には、おれもおどろいた。いったい、どういう……？」

「ま、おいおいにはなすよ。それよりも彦さん。伊藤を殺《や》って、羽沢の元締からもらった七十五両。これだけありゃあ、半年は遊べるねえ」

「梅安さん。おれは、上方は初めてさ」

「そうだってねえ」

「おれは、もう、間もなく死ぬような気がしてならねえ」

「私もさ。仕掛人は、みんな、いつもいつも、そうおもっているのだよ」

笠の内で、しばらく口ごもっていた藤枝梅安が、とってつけたように、

「彦さん。この先の芋川のうどんは、ちょいとうまいのだよ」

と、いった。

秋風二人旅《しゅうふうににんたび》

一

淡く夕闇《ゆうやみ》がただよう街道沿いの草むらに、撫子《なでしこ》や桔梗《ききょう》が咲きみだれているのを眼にした藤枝梅安が、足をとどめて、連れの彦次郎へ、

「彦さん。もう、秋になったのだねえ」

何やら、しんみりといった。

「そうだねえ、梅安さん」

「江戸を出てから、どれほどになったかね？」

「さて……四十日《しじゅうにち》にもなるのじゃあねえか」

「さよう……」

指を折って見て梅安が、

「来る日、来る日を、ずいぶんとのんびり暮したね、梅安さん」

「かつて、なかったことだ」

「おれもさ」

「そうなるねえ」

秋草に見とれながら、しみじみと語り合っている三十男の藤枝梅安と、四十男の彦次郎を、だれが見ても、これが金ずくで人殺しを請負《うけお》う男たちだとはおもうまい。

梅安は恰幅《かっぷく》のよい、堂々たる体軀《たいく》に上等の衣服をつけ、青々と剃《そ》りあげた坊主あたまへ塗《ぬり》笠《がさ》を載せている。

立派な拵《こしら》えの短刀をたばさみ、竹の杖をついたところなぞは、なかなかどうして貫禄もそなわり、それ相応の医者に見えた。

彦次郎は、きちんとした堅気《かたぎ》の旅姿で、これは梅安の従者に見えたのではないか……。

二人とも、十は老《ふ》けて見えた。

今年の梅雨《つゆ》の最中《さなか》に、江戸で……。

二人は協力して、藤枝梅安を亡妻の敵《かたき》とつけねらう井上半十郎らを返り討ちにした。

さらに梅安は、両国の顔役・羽沢の嘉兵衛から大枚《たいまい》百五十両の礼金で請負った伊藤彦八郎殺しを、木挽町《こびきちょう》の料亭でやってのけた。

それからすぐに、二人は江戸を離れた。

別に、

「足がつく……」

ようなへまをしたわけではないが、

「伊勢詣《まい》りに行こうじゃあないか、どうだね、彦さん」

ふと、思いたった梅安のさそいに、彦次郎は、

「そいつはいい。おれもぜひ、お伊勢さまへは行って見たかったのだ」

すぐさま応じた。

「おれたちは、なんのために、お伊勢詣りをするのだろうね？」

「他人の血で汚《よご》れきっている私たちの手を、いまさら伊勢大神宮の水《すすぎ》で洗い清めたところで、どうなるものでもないが……」

苦笑しながらも二人は、ゆるゆると東海道を下り、伊勢の国へ入って、桑名には七日も滞在をした。

酒も魚もうまく、尾張《おわり》の宮《みや》とをむすぶ船渡しに賑《にぎ》わう桑名の町は、すこぶる情趣に富み、女もよかった。

こういうわけで、伊勢参宮の行き帰りにも、名高い古市《ふるいち》の遊所《ゆうしょ》へ合わせて十日も流連《いつづけ》をしてしまったほどである。

彦次郎が、さも満足げに、

「こいつはまさに、お伊勢さまの御利益《ごりやく》があって、間もなく、この世をおさらばするだろうこのおれに、久しぶりで、いい夢を見せておくんなすったのだろうよ」

などと、いったものだ。

それから二人は東海道・亀山へ出て、伊賀《いが》をぬけ、大和《やまと》の国へ入った。

大和には有名な神社仏閣が多いし、なだらかな美しい山なみにかこまれた奈良盆地の風光には独特のものがあり、上方へも大和へも、一度も足をふみいれたことのない彦次郎をめずらしがらせた。

また、藤枝梅安が、このあたりの名所古蹟に通暁《つうぎょう》していることも、彦次郎をおどろかせた。

梅安は幼少のころから、京都の鍼《はり》医者・津山悦堂に引きとられ、鍼の術を仕込まれたが、

「私は、悦堂先生のお供で、何度も、こっちへ来たことがあるのさ」

それだけで、梅安は多くを語らなかった。

先ず、このように、梅安と彦次郎の道中はたのしくつづいてきたわけだが……。

すぐ目の前に、おもいもかけぬ事態が待ちうけていようとは、勘ばたらきのするどい梅安・彦次郎も、まったく予期してはいなかったのである。

その日。

朝早くに、郡山《こおりやま》の城下の旅籠《はたご》〔橋本屋久右衛門〕方を出た藤枝梅安と彦次郎は、歌姫越《うたひめごえ》に

京都へ向うことにした。

途中、東大寺や春日神社を見物し、歌姫越にかかったのだが、この道は、ひらけている奈良街道と木津川《きづ》をへだてて西方にのびている古道《こどう》だ。むかしむかし奈良に皇都《みやこ》があったときの、奈良と山城《やましろ》の国をむすぶ往還《おうかん》であったそうな。

「なるほど。この道は、おれたちが歩くのに恰好《かっこう》の道だなあ、梅安さん」

と、彦次郎がいったように、古道ゆえ旅人の往来もすくなく、すべてが木や草に埋もれかかって、物しずかに鄙《ひな》びているのである。

「ときに、もう日暮れだが、今夜の泊りはえ？」

「彦さん。奈良街道へ出て、木津の町へ泊ってもよいが、いっそ今夜は、酒にも女にも縁のないところへ泊ろうじゃあないか。ふ、ふふ……そのかわり、しずかにねむれるよ」

「寺かえ？」

「さすがは、彦さんだ」

「どこの寺だね？」

「この先に、祝園《ほうその》という村があってね。そこに、常念寺《じょうねんじ》というお寺がある」

「へへえ……」

「いまは、もう亡くなられたが、そこの先代の和尚の難病を、私が癒《なお》したことがあって、以来、何度も泊っているよ。もっとも、いまの稼業へ入る前のことだがね」

まだ、夏の名残りがただよっている、あかるい夕暮れであった。

「さて、行こうかね、彦さん」

「うむ」

笠をかぶった二人が、秋草の群れの前をはなれて歩み出した、そのときであった。

奈良の方向からやってきた旅姿の、中年の侍が一人、梅安と彦次郎を追い越すかたちで、足早に通りすぎて行った。

侍は、笠をかぶっていなかった。

何気もなく、ひょいと、その侍の横顔を見やったとたん、笠の内で彦次郎の顔が凍《こお》りついたようになった。

むしろ、彦次郎は立ちすくんでいるように見えた。

先へ歩み出した梅安が、振り返って、怪訝《けげん》そうに、

「どうした、彦さん……?」

彦次郎、こたえぬ。

「どうしたのだ?」

異常を感じて、藤枝梅安が近寄って来た。

その侍は、後も振り向かず、道を遠去かりつつあった。

「彦さん……」

「あの野郎……」

彦次郎の呻《うめ》くような声が、笠の間から洩《も》れた。

「あの野郎？……いま、私たちを追い越して行った、あの侍のことか？」

と、梅安。

うなずいた彦次郎が、こういった。

「あの野郎。生かしてはおけねえ」

二

藤枝梅安は、彦次郎から、くわしい事情をききとる暇もなかった。

だが、

「あの野郎を生かしてはおけねえ」

と、深刻の呻《うめ》きを発した彦次郎を見ては、

(捨ててはおけない)

梅安であった。

夕闇の街道を行く、件《くだん》の旅の侍の足どりは速い。

語り合う間もなく、彦次郎と梅安は、侍の尾行にかかった。

二人とも、はじめは無言《むごん》であったが、しばらくしてから、

「野郎は、おれの顔を見おぼえてはいねえだろう」

彦次郎が、そうつぶやき、かなり大胆に侍の背後へ接近して行った。

夕闇が、濃度を増してきている。

一里ほど行ってから、

「野郎は、どこへ泊るつもりなのだろう？」

「彦さん。だいぶんに暗くなったから、もしやすると田辺《たなべ》へ泊るのではないかね」

「ふうん。もうすぐかえ？」

「あと一里ほどだ」

また、しばらくしてから梅安が、

「あの侍に、彦さんは何の恨《うら》みがあるのだね？」

沈黙の後に、彦次郎がこうこたえた。

「あの野郎のために、むかし、おれの女房と子供が、あの世へ行っちまった……」

「なんだと……」

梅安の顔が緊張した。

くわしい事情は、まだ知らぬけれども、

（そうときいたからには、尚更《なおさら》に捨ててはおけない）

のである。

夜に入ってから、侍も、梅安・彦次郎も田辺の村へ入った。

村といっても、古道ながら歌姫越の往還に面しているのだから、旅籠が二軒あり、造り酒屋も一つあるそうな。

侍は〔伊丹屋《いたみや》〕という、わら屋根の旅籠へ入って行った。

「どうする？」

と、梅安が彦次郎へささやいたのは、別の旅籠へ泊ろうか、と、いうことなのだ。

すると彦次郎は、かぶりを振って、

「大丈夫だ、見られても、たぶんわかるまい」

自信ありげに、こたえた。

で……二人とも〔伊丹屋〕へ入った。小さな質素な旅籠で、二階はない。客部屋が合わせて五つ。いちばん奥の部屋へ侍が入り、一つ置いた手前の部屋に梅安と彦次郎が入った。

侍が風呂へ入ったあとで、二人が入り、夕飯の膳に向った。侍は、これから何処《どこ》へも出かけまい。すべては明日のことだ。

そこで、彦次郎が梅安に、声をひそめて語りはじめた。

彦次郎は、下総《しもうさ》・松戸《まつど》の在《ざい》の生まれで、

「子供のときから、粟飯《あわめし》もろくに食えねえ水のみ百姓の家に生まれてね」

だという。

彦次郎の父親は、彼が六歳のときに病死をしてしまい、その後、母親が別の男を家へ引き入れた。

その実の母親が、だ。

「彦よ。てめえを孕《はら》んだとき、水にながそうと、何度おもったか知れやあしねえ。ああ、ほんとにあのとき、てめえをながしてしまえばよかったよう」

と、さも憎さげに、子供の彦次郎をにらみつけながらいったそうな。

彦次郎は十歳の夏まで我慢をしたが、ついにたまりかね、家を飛び出してしまった。

そのとき、母親と別の男との間には、子が二人も生まれていたので、彦次郎の立場は、いよいよひどくなったであろうことが想像できる。

「彦さんの身の上ばなしをはじめてきいたが……」

と、梅安が苦笑し、

「私の生いたちと、よく似ているじゃあないか」

梅安の母親は、父親が亡くなってのち、妹だけをつれて男と逃げ、少年の梅安ひとりが、東海道・藤枝の宿場町の生家へ置き去りにされたのであった。

家を出てからの自分が、どのような生活を送ったかは、くわしく語らなかったけれども、二十一歳の春に、彦次郎はようやく安住の地を見出した。

江戸にも近い、武蔵国・荏原《えばら》郡・馬込《まごめ》村（現・東京都大田区南馬込）にある万福寺《まんぷくじ》へ、寺男として住みこむことを得たのである。

万福寺は馬込村の東方にあり、境内は二町四方もあった。

逆境にあった彦次郎を拾いあげ、万福寺へ世話してくれたのは、浅草茅町《かやちょう》二丁目の煮豆屋で、

「甲州屋作兵衛《さくべえ》さんといってね。そのお人に、おれはずいぶん面倒《めんどう》をかけたものさ」

と、彦次郎は語った。

ともあれ、万福寺の下男となってからの彦次郎は、ようやく落ちつきをとりもどし、一所懸命にはたらいた。

境内の地蔵堂のうしろの小屋に住み、掃除はもとより、近くにある万福寺所有の畑仕事にも精を出し、

「若いのに、感心な……」

和尚をはじめ、寺僧たちの信頼は深まるばかりで、翌年の春に、二十二歳となった彦次郎は、万福寺の僧の口ききで、馬込村の百姓茂八《もはち》の三女・おひろと夫婦になったのである。

おひろは十八歳で、夫婦になってから一年目に、おみつという女の子が生まれた。

当時を回想して、彦次郎は、

「あのときの二、三年が月日は、おれのものだったと、どうしてもおもえねえことがある。

幸《しあわ》せというものを、おれは、はじめて見た気がした」

憮然《ぶぜん》となって、いったものだ。

だが〔悲劇〕は、すぐそこまで近寄って来ていた。

その〔悲劇〕こそ、彦次郎を仕掛人《しかけにん》（殺し屋）の人生へ追い込んだものだといってよい。

その日。

彦次郎は、馬込八幡の裏の畑で、ひとり、はたらいていた。馬込村は土地の高低が多く、俗に〔九十九谷〕といわれたほどで、万福寺の畑の三方が崖にかこまれ、鬱蒼《うっそう》と木が茂っている。

昼になり、女房のおひろが握り飯と漬物の弁当を、持って、畑へあらわれた。

去年、夫婦になったときのおひろは、いかにも小女《こむすめ》で、躰《からだ》つきも細く、彦次郎は、

（どこか、躰が悪いのじゃないか……？）

そうおもったほどであるが、一度も病気をしたことはないし、おみつを生んでからは急に、胸や腰へみっしりと肉がつき、今度は、とても十九の若女房だとおもえぬほど、躰も心も成熟しつつあった。

「おみつは、どうした？」

「あい。ようねむっているので、置いてきましたよ」

二人は木蔭へ入って弁当をひろげた。

おひろが、えりもとをくつろげ、風を入れた。

乳房の上部がもりあがり、汗に光っている。くびすじや腕は陽に灼《や》けているのに、胸肌がぬけるように白く、甘酸《あまず》っぱい体臭が微風に乗ってただよってき、彦次郎は握り飯を持ったまま頭を寄せ、おひろの胸肌を吸った。

「あれ、くすぐったい……」

「おひろ……」

「あい」

「今度は、男の子がほしいな」

「これから何人でも」

「うん、うん」

「あれ、そこはだめですよう」

「いいよ、かまわない」

「だって……」

「だれも見ていやしないよう」

ところが、見ていたのだ。

垢《あか》くさい浪人者が二人、背後の崖の上から飛び下りて来たのである。

二人とも若かったが、汗と埃《ほこり》にまみれ、髷《まげ》のかたちもわからぬほどの蓬髪《ほうはつ》であった。

「その女を、ちょいと貸せ」

にたにたと笑いながら、一人がいった。

「逃げろ、早く！」

青くなった彦次郎が、おひろへ叫び、立ちあがった。

「さわぐなよ、これ。いのちが惜しいならな」

もう一人の浪人がいい、彦次郎へ近づいて来た。まるで、飢《う》えた山犬のような眼がぎらぎらと光っている。

「助け……」

救いをもとめに走り出し、叫びかけたおひろのひ腹を、別の浪人がなぐりつけるのを見て、

「な、何をしやがる‼」

むしゃぶりつこうとする彦次郎を、山犬浪人が大刀を引き抜き、峰打ちに撃った。

それきり、彦次郎は何もわからなくなってしまった。

気づいて、眼をあけたとき、半裸にされたおひろの上へ、山犬浪人がおおいかぶさり、惨《さん》烈《れつ》に犯しているのが見えた。

「あっ……ち、畜生……」

立ちあがろうとしたが、手も足もしびれてい、あたまが割れるように痛み、おもわず呻き

声をあげた彦次郎を、立ちはだかって見ていた別の浪人がなぐりつけた。

「二十年前のおれは、いまのおれじゃあねえ。どうしようもなかったのだよ、梅安さん」

と、彦次郎はいう。

「それからあとは、もう、めちゃくちゃになっちまった……五、六日あとになって、おひろは、くびを括《くく》って……」

「し、死んでしまったのか？」

「うむ……そればかりじゃあねえ。自分が死ぬ前に、おみつを……どういうわけだか、道づれにして……」

「なんだって……」

さすがの藤枝梅安も、青くなった。

「あのとき、おひろは、すこし、気が狂いかけていたのかも知れねえ。何しろ……何しろ梅安さん。手ごめにするなどという、なまやさしいやり方じゃあなかったのだ」

語り終えた彦次郎の細い両眼には、泪《なみだ》一滴《てき》、浮いていない。そのかわり、凄《すさ》まじい殺気《さっき》がただよっていた。

「それでは彦さん。奥に泊っている、あの浪人が？」

「うむ」

「どっちのほうだね？」

「山犬のような眼をしていやがった野郎のほうだよ」

「もう一人のやつは、いまも一緒か、どうか、だが……」

「つきとめてえ。二人とも殺《や》っつけてえよ」

「それなら、今夜は殺《や》らずにおき、もうすこし、泳がせておこうかね？」

「そのことよ、梅安さん」

「この前は彦さんに助けてもらった。今度は、私に手つだわせておくれ」

「すまねえ。江戸を遠くはなれて、何も彼も不案内《ぶあんない》のおれだ」

「いいとも」

この前は、自分を妻の敵《かたき》とねらう浪人を彦次郎の助勢で殪《たお》した藤枝梅安であったが、今度は、女房と子の敵を討とうとする彦次郎を助けることになった。

「世の中というものは……女しだいで、いくらでも皮肉《ひにく》なものになるねえ」

と、梅安が、冷えきった酒をなめつつ、

「彦さんの、亡くなったおかみさんと、子どもは、ほんに可哀相《かわいそう》な……」

いいさした声が微《かす》かにふるえ、大きく張り出した額《ひたい》の下にくぼんでいる団栗《どんぐり》のような両眼へ、青白く怒りがこもっている。

三

翌朝。

朝食をすませた梅安と彦次郎が、

(いつでも発《た》てるように……)

身仕度をととのえ、部屋の障子を閉めたまま待機していると、奥から出て来た侍が、二人の部屋の前の廊下をゆっくりと通りすぎて行った。

その足音で、侍が、梅安・彦次郎には全く関心をもっていないことがわかる。

「梅安さん、おれたちも発とう」

と、腰を浮かしかけた彦次郎へ、

「ま、お待ち」

梅安がこれをとどめ、手を打って女中を呼び、

「これを、取っておきなさい」

昨夜もやったのに、またしても〔こころづけ〕をはずみ、女中にたのんで宿帳を持って来させ、女中が去ってから、中をあらためて見た。

昨夜、この旅籠へ泊ったのは、梅安たちと件《くだん》の侍、それに旅商人が一人、合わせて四人だ

けだ。

で、その侍の名前だが、こう書きしるしてあった。

〔松平甲斐守《かいのかみ》家来、峯山《みねやま》又十郎〕

筆跡も、みごとなものであった。

「彦さん……」

宿帳を閉じた藤枝梅安が、

「お前、ほんとうに、あの侍がそうだと、いいきれるのかね?」

「なにをいっているのだ、梅安さん。この彦次郎の眼に狂いがあるとでも、いいなさるのか?」

「いや、そうではない。そうではないが……」

「梅安さん。早く後をつけねえと、野郎を見うしなってしまうよ」

「大丈夫だ、このあたりのことなら、私にまかせておきなさい」

旅籠から歌姫街道へ出て間もなく、二人は、前方を行く侍……いや、峯山又十郎の後姿をみとめることができた。

歩きながら、梅安が、

「ねえ、彦さん。たとえ二十年もむかしのこととはいいながら、お前さんのおかみさんに非道《ひどう》なまねをした、その山犬浪人と、あの峯山なにがしという侍とは、どうも私には、ぴったり一つに重《かさ》なって見えないのだがねえ」

「ど、どうしてだね？」

松平甲斐守といえば、梅安たちが一昨日泊った大和郡山十五万一千石の城主で、峯山又十郎は、その郡山藩士としていささかもおかしいところがない。

山犬浪人の顔を知らぬ梅安だけに、峯山の苦味《にがみ》のきいた渋い顔貌《がんぼう》にも、背すじのすっきりとした姿にも、大名家《だいみようけ》につかえる武士の品格が看《み》てとれた。

それに、二十年の長年月を経たからといっても、乞食同然に見えた無頼《ぶらい》浪人が、これほどの変貌《へんぼう》をとげるものだろうか……。

(だが……彦さんが、あれだけはっきりといいきったのだから、間ちがいではないとおもうが……)

梅安は、自分に、そういいきかせた。

街道を行く峯山又十郎は、一度も振り返らなかった。

昨日とちがい、今日の峯山の足どりは、

(すこし、重いような……)

と、梅安は感じた。

彦次郎は、それに気づくどころでない。笠の内から火のように燃えた怒りと復讐《ふくしゆう》の眼《まな》ざしを、ひたと峯山の後姿へ射つけていた。

尾行するといっても、さびれた古道での道中であったから、かなりの距離をおき、たとえ一時は峯山の姿が見えなくなったとしても、見うしなうことはないのである。

晴れわたった青空に巻雲がなびいて、

「彦さん、あの雲をね、豊旗雲《とよはたぐも》というのだよ」

などと、梅安が声をかけたけれども、血相《けっそう》の変った彦次郎は、もう上の空であった。

仕掛人としては、梅安が舌をまくほどの彦次郎だし、そのための冷静さをうしなったことがない彦次郎については、だれよりもよく梅安がわきまえている。

それだけに梅安は、いまさらながら、彦次郎の胸の底に二十年も潜《ひそ》んでいた怨恨《えんこん》の深さ暗さをおもい知らされた。

田辺から北へ三里余で、有名な石清水八幡宮《いわしみずはちまんぐう》へ達する。

桂川《かつらがわ》、宇治川、木津川の三川《さんせん》が一つになって淀《よど》の大河となり大坂湾へそそぐ、その合流地点にそびえる男山《おとこやま》の山頂に、八幡宮の社殿がある。

石清水八幡宮は、往古、この地の先住民が、男山の山中から湧き出る清水を神として祀《まつ》ったのが、その起りだとつたえられている。

その後、貞観《じょうがん》のころに奈良大安寺の僧・行教《ぎょうきょう》が、宇佐八幡の神託《しんたく》をこうむったと称し、同神をこの地へ勧請《かんじょう》し、石清水八幡宮と称するにいたった。以後は朝野の崇敬《すうけい》もあつく、伊勢大神宮についで、第二の宗廟とあがめられた。

東の山裾は八幡宮の門前町・八幡《やわた》で、街道すじには茶店やら旅籠、民家が軒をつらねている。

峯山又十郎が八幡へ着いたのは、まだ昼前であった。

峯山は、〔たたらや〕という茶店へ入り、半刻ほど休憩をしてから旅の小荷物を茶店へあずけ、放生川にかかる安居橋《あんごばし》をわたり、男山へのぼって行った。

八幡宮へ参詣《さんけい》するものと見てよい。

その姿を、〔たたらや〕のすじ向いの茶店〔しまだや〕からうかがっていた藤枝梅安は、またしても、

(……?)

くびをかしげざるを得ない。

彦次郎からきいた、山犬か狼のごとき無頼浪人と峯山又十郎のイメージが、どうしても梅安の勘ばたらきの中で溶け合ってこないのだ。

「彦さん……」

「え?」

「お前さん。どうも、眼が血走っているねえ」

「そ、そうかね……おれとしたことが、はずかしいことだ。でも、こうなりゃあ仕方もねえ」

「ねえ、彦さん。あの侍は、私とお前とが一緒に旅をしていることに気づいているだろうか？」

「さあ……」

「一度も振り返らないし、昨夜だって、旅籠の内で顔を合わせなかったからね」

「そういわれれば、そうだ……」

「彦さんは、ここで待っていたがよい」

「どうしてだね、梅安さん……？」

「ま、私に、ここはまかせてくれぬか。いずれにせよ、お前さんのためにしていることなのだから……」

眼と眼がぴ、たりと合って、

「では、たのみますよ」

と、彦次郎がいった。

四

駒返しから、曲がりくねって急な裏参道を、のぼりつめて行く峯山又十郎のうしろから、このところ尚《なお》も肥《ふと》ってきた巨体をもてあまし気味の藤枝梅安が、息をはずませてついて行った。

山頂へ達し、寛永十一年に徳川三代将軍・家光が造営したときいている八幡造《はちまんづくり》の本殿の前にぬかずく峯山又十郎の姿は、

「敬虔《けいけん》そのもの」

と、いってよい。

拝礼を終えるや、峯山又十郎は、すぐさま下山にかかった。これは、峯山の石清水八幡宮参拝がはじめてではないことをものがたっている。

梅安も早々《そうそう》に拝礼をすませ、峯山の後を追った。

参拝の人びとが、しだいに増えて来はじめた。

陽ざしが真夏のそれのように強く、梅安は汗みどろになってしまった。

実は梅安、何かきっかけがつかめたなら、彦次郎が見ていない場所で、峯山又十郎へはなしかけてみるつもりでいたのである。

しかし、そのきっかけがつかめぬままに、八幡の門前町へ下って来てしまった。

〔たたらや〕へ入って行った峯山を、彦次郎は〔しまだや〕の葭簀《よしず》の蔭からにらんでいた。

そこへ、梅安が息を切らせてもどって来た。

「梅安さん、どうした？」

「まだ、よく、わからぬが……」

「何がわからねえ。あの野郎は、おれの女房子を……」

「それは、わかっているよ」

「梅安さん。お前さん、おれの助太刀が嫌《いや》なら、好きなところへ消えちまってもいいのだぜ」

彦次郎は、あきらかに昂奮《こうふん》している。

どことなく煮えきらぬ梅安の態度に、感情が激発したのだ。

梅安は、苦笑した。

その苦笑を見るや、たちまち彦次郎がうなだれてしまい、

「すまねえ。つい、ばかなことをいってしまった……」

「なあに……いいさ、いいさ」

峯山又十郎は、茶店で昼飯を摂《と》っているらしい。梅安と彦次郎も〔しまだや〕で昼飯を食べた。

〔たたらや〕から峯山が出て来たのは、九ツ半（午後一時）ごろであったろう。

峯山は、淀の大橋をわたり、伏見へ向っている。

「京へ入るつもりらしい」

と、梅安が彦次郎へささやいた。

石清水八幡より伏見の町まで約一里半。伏見は西からの京都の関門《かんもん》というべきところで、

淀川を大坂へ往復する名高い夜舟も伏見に発着をする。

中書島《ちゅうしょじま》の廓《くるわ》も大したものだし、むかしむかし豊太閤《ほうたいこう》秀吉の城下町であった名残りが、町割りの大きな規模に見てとれる。

峯山又十郎は、伏見の町の中心を通りすぎ、墨染《すみぞめ》へ出た。

墨染は、伏見の町の北部、深草《ふかくさ》村に境するあたりで、ここの墨染寺門前には元禄年間にもうけられた安直《あんちょく》な遊廓《ゆうかく》があり、かの赤穂義士の頭領《とうりょう》・大石内蔵助《くらのすけ》が吉良《きら》邸に討入りを前にして、大いに鬱《うつ》を散じたものである。

その墨染寺の手前に、欣浄寺《ごんじょうじ》という名刹《めいさつ》がある。

なんでも、この地は、かの深草少将の邸宅の址《あと》だそうで、少将はここから山越えに、山科《やましな》の小野小町《おののこまち》のもとへ百夜かよったそうな。

さて……。

峯山又十郎が、この欣浄寺の門へ入って行くのを見とどけたとき、

(こりゃ、どういうことなのか……?)

藤枝梅安は、おのが胸さわぎをどうしようもなかった。

なんとなれば……。

欣浄寺こそ、梅安の育ての親ともいうべき鍼医者・津山悦堂の墓があったからだ。

津山悦堂は伏見の生まれで、欣浄寺が菩提所《ぼだいしょ》であり、十年前に梅安が悦堂をほうむり、以

後は何度も恩師の墓参におとずれたものであった。

「彦さん。すまぬが、ここで待っていてくれ」

梅安は、欣浄寺前の小さな茶店へ彦次郎を押しこみ、

「いいかね、決して出て来てはいけないよ」

「ば、梅安さん……」

「いいから、いいから、私にまかせてくれ。たのむ、たのむ」

梅安の顔に、有無《うむ》をいわせぬものがにじみ出ていた。

息をのんで、彦次郎はうなずくよりほかはない。

かたむきかけた陽ざしは、さすがにおとろえてきている。

門を入り、勝手を知った墓地へ入って行ったとき、藤枝梅安は、むしろ青ざめた。

なんと……。

津山悦堂の墓の前へ、峯山又十郎がぬかずき、手を合わせ、瞑目《めいもく》しているではないか……。

顔見知りの老いた寺男が、線香と水桶《みずおけ》をはこんで来るのに気づき、梅安はあわてて木蔭へかくれた。

峯山は、かなり長い間、黙禱《もくとう》をささげている。

秋の蝶が、おぼつかなげに、墓石の間をたゆたっていた。

いうまでもなく、峯山がぬかずいている墓には、津山悦堂のみか、悦堂の妻も、両親も祖父母も兄弟もほうむられているわけだから、峯山が悦堂の墓詣りに来たとはいいきれない。

寺男が去って行くのを見送ったのち、おもいきって梅安は、峯山の背後へ近づいて行った。

その気配に、峯山又十郎が振り向いた。

梅安は、ていねいに坊主頭を下げ、

「わたくしは、津山悦堂が弟子でございますが、どなたさまでございましょう?」

しずかに、問いかけてみた。

「これは……」

と、立ちあがった峯山が、

「拙者は、松平甲斐守が家来にて、峯山又十郎と申します」

これも、丁重にこたえた。

この瞬間に藤枝梅安は、

(ちがう!!)

と、直感した。

(彦さんが、嘘《うそ》をついているのではないが……このお人は、そんな山犬浪人なぞではない。これは彦さんが何か、どこかで勘ちがいをしている……)

であった。

やがて……。

欣浄寺の門を、語り合いつつ連れだって出て来た梅安と峯山を、茶店の中から見た彦次郎がおどろいた。

梅安は、ちらと彦次郎のほうを見て、たもとから何か白いものを落して行った。

急いで茶代をはらい、道へ飛び出し、彦次郎は白いものを拾いあげた。

いつの間に書きしたためたものか、それは梅安が彦次郎へあてた〔結び文〕である。

「私を見うしなわぬよう、後からついて来ておくれ。今夜は、同じ旅籠へ泊って、じっとだまっていておくれ。とにかく、大へんなことになった」

と、梅安は書いている。

五

欣浄寺の、津山悦堂の墓の前で、峯山又十郎は梅安にこういった。

「拙者が父は、但馬《たじま》・出石《いずし》の浪人でござった。のちに、一刀流の剣客として、大坂の北の方の王仁《わに》塚《づか》のあたりに、小さな道場をかまえておりましたが……さよう、あれは、拙者が十三、四歳。弟の惣市《そういち》が十一か十二のころに、父が大病にかかりましてな。

その折に、ちょうど大坂へ来ておられた津山悦堂先生が、大坂の油屋・住吉屋庄兵衛という人の引き合わせで、拙者の父を治療し、みごとに癒《なお》して下されたのでござる。鍼医としてはまことに名人。父も、ほとほと感服をしておりましたもので……」

それなら、五歳の梅安が悦堂の手もとへ引きとられた二年ほど前のことになろう。

（ああ、そういえば……）

おぼろげながら、梅安はおもい出したことがある。

京都の、三条堀川にあった悦堂の家へ、年に一度は、かならず手みやげをたずさえ、訪ずれて来る侍のことを、悦堂がいつか、

「梅吉や（梅安の幼名）、あのおさむらいは剣術つかいじゃが、なかなかに義理堅いお人よ。わしが前に躰を癒してやったのを恩に着て、いつまでも忘れないでいてくれる。いいかな、梅吉。よくおぼえておきなさい。恩というものは他人に着せるものではない。自分が着るものだということを、な……」

いまにしておもえば、その侍が、どうも峯山又十郎の父親だったらしい。もっとも、四、五年するうち、訪問が絶えてしまったが、少年の梅安は無関心であったから、あとのことは何もおぼえていないのである。

欣浄寺境内では、峯山との語らいはその程度だったけれども、いまや藤枝梅安、新しい事実をつかんで、あとに引けない気もちになってきた。

それというのは、峯山が語ったときの、

「……拙者が十三、四歳。弟の惣市が十一か十二のころ……」

この言葉であった。

峯山又十郎には、二つか三つちがいの弟がいたのである。

実の兄弟であるからには、二人の容貌《ようぼう》が、

(よく似ていたとしても、ふしぎはない)

のである。

(もしや、彦さんは、この峯山又十郎の弟・惣市の非道によって、妻子をうしなったのではないか……?)

庫裡《くり》へ挨拶をしに行くらしい峯山を見て、梅安は腰の矢立《やたて》をぬきとり、彦次郎へわたす結び文を急いでしたためた。

峯山は、所用があって京都へおもむく途中、欣浄寺へ立ち寄ったのだそうな。この寺に悦堂の墓があることを知ったのは六年ほど前で、その折、峯山は公用で京へ出かけたので、亡父から耳にしていた悦堂の旧居をたずね、悦堂の死を近所の人びとからきき、欣浄寺へほうむられたこともきいた。

峯山又十郎の父が悦堂を訪問しなくなったのは、

「他人《ひと》の手にかかりましてな……」

と、いったのみで、峯山は口をつぐんだ。

「私も、久しぶりで京へまいるのでございます。京まで御いっしょにまいりたいと存じますが……」

梅安が、こういい出すと、峯山は微《かす》かに、迷惑そうな気配を見せた。

「御迷惑でございますかな？」

「いや、別に……」

すぐに峯山は、おもい直したらしく、

「同道いたそう。道みち、亡き悦堂先生のことどもをうかがいたい」

と、いった。

こうして……。

峯山又十郎と藤枝梅安は、肩をならべて京都へ向い、その後を、梅安の結び文を読んだ彦次郎がつけて行くかたちになった。

伏見から京都までは、三里弱の行程だ。

峯山と梅安が語り合いながら京の町へ入ったとき、すでに夕闇は濃かった。

峯山又十郎は、五条橋・東詰を北へ上ったところの、鴨川《かもがわ》沿いの旅籠〔墨屋《すみや》六兵衛〕方へ泊ったが、梅安は、わざと五条橋のたもとで、

「では、私はこれにて……御縁がありましたなら、また、お目にかかることもございましょ

う」

いったんは、別れることにした。

「梅安先生は、江戸にお住いか？」

「はい」

「江戸の、どちらに？」

「いえもう、あっちへ行ったり、こっちへ行ったりでございましてな」

「さようか……」

なぜか峯山は、京都で、もう一度会うとは、いい出さぬ。

〔墨屋〕へ入って行った峯山を見とどけ、梅安が五条橋の方へ引き返しかけたとき、彦次郎が追いついて来た。

「梅安さん、いってえ、どうしたのだ？」

「ま、いいから、いいから」

梅安は彦次郎をつれて、墨屋の手前どなりの〔玉水屋〕という旅籠へ旅装を解いた。

風呂へ入り、夕飯の膳に向い、女中を去らせてから梅安が、

「おどろいてはいけないよ、彦さん」

「な、なにがだ？」

「峯山又十郎は、二つちがいの弟がいる」

「げえっ……」

さすがに彦次郎も、おどろいた。

「そ、そうか……」

「私はね、どうも、その弟のほうが怪しいとおもうよ」

「で、その弟野郎というのは、いま、どこにいるといっていたね？」

「さ、そこだ」

「え？」

「峯山又十郎は、私が弟のことにふれると、すぐに、はなしを逸《そ》らせてしまうのだよ。こいつはきっと、何かある」

峯山又十郎は、剣客だった父が亡くなったのち、このときも大坂の油屋・住吉屋庄兵衛の世話で、大和郡山の藩士・峯山左内《きない》の養子となった。

峯山左内は郡山藩の徒目附《かちめつけ》をつとめてい、五十石三人扶持《ぶち》の下級藩士だが、それにしても、浪人の子が養子に迎えられたことは、近ごろ、めずらしいことなのだ。

このことを見ても、峯山又十郎と、その父・井坂宗兵衛の人柄が知れようというものである。

では、又十郎の弟・井坂惣市なる者は、

（どのような男なのか……？）

それがまだ、わからぬ。

夕飯をすませたのち、梅安が、

「彦さん。ちょいと出て見ようか……」

と、さそった。

庭づたいに、となりの〔墨屋〕へ近づくと、境が低い板塀で、その上に、墨屋の二階座敷の一つが見えた。

灯が入っている。

夕暮れから風が絶えて、妙に蒸し暑い夜となった。

「あ……」

梅安が彦次郎の袖を引き、墨屋の二階座敷を指さし、こちらの植込みの蔭へ屈《かが》みこんだ。

蒸し暑いので、障子が開け放ってある。

いま、その窓辺へ姿を見せたのは、まぎれもなく、峯山又十郎であった。

峯山の口がうごいている。

座敷の中に、別の人がいるらしい。

梅安と彦次郎は、顔を見合わせた。

〔墨屋〕へ入って行ったときの峯山は、たしかに一人だったのだから、そうなると、峯山をたずねて来た客と見てよい。

と……。

峯山又十郎の姿が、窓から消え、ちょっと間を置いて、別の男が窓ぎわへあらわれた。

座敷からの灯影《ほかげ》をうけた、その男の横顔を見て藤枝梅安が、あやうく声をあげそうになり、あわてて、わが手でわが口をふさいだ。

男は、でっぷりとした体格の五十男で、町人である。

その町人の顔を、梅安は忘れるものではない。

町人が外を見まわしてから、うしろ手に窓の障子を閉めた。

「彦さん。いまの男を見たか？」

「見たが……どうしたのだね？」

「私は、あの男に殺しをたのまれたことがある」

「な、なんだって……」

「五年ほど前のことだがね」

六

五年前の藤枝梅安は、もう仕掛人として、暗い夜の世界で名を知られていた。

そのとき梅安は京都へもどって来て、亡き津山悦堂が親しくしていた、御幸町《ごこまち》錦小路《にしきこうじ》上ルところの扇問屋〔佐和屋儀助《さわやぎすけ》〕方の二階へ、半年ほど滞在していたのである。

その梅安へ、殺しをたのみに来たのが、墨屋の二階で峯山又十郎と語り合っていた町人なのである。

この町人の名を、

〔白子屋菊右衛門《しろこやきくえもん》〕

という。

大坂の道頓堀《どうとんぼり》・相生橋《あいおいばし》北詰の、白子屋という大きな料亭の主人《あるじ》である菊右衛門だが、蔭へまわると、諸方の盛り場を牛耳《ぎゅうじ》っている香具師《やし》の元締の一人で、大坂の暗黒街における勢力の大きさは、はかり知れぬものがあり、大坂町奉行所でさえも、白子屋菊右衛門には、

「一目《いちもく》を置かねばならぬ」

と、いうことだ。

菊右衛門は、妾のお崎《さき》に京の祇園町《ぎおんまち》で〔井筒《いづつ》〕という茶屋を経営させている。

事と次第によって……。

白子屋菊右衛門は、大枚《たいまい》の金で〔殺人〕を請負《うけお》うことがある。

それも大物ばかりだというわさだし、

「この世の中に生かしておいてはためにならぬやつどもを殺すのでなければ、引きうけぬ」

そうな。

菊右衛門は、信頼のできる仕掛人を何人も抱えている。

それなのに、五年前、新しい藤枝梅安をつかったのは、折しも手もちの仕掛人が近くにおらず、しかも急ぎの殺しであったため、

「なんとか、よい仕掛人を、一人、わしのところへまわしてもらえぬかい」

と、菊右衛門が、これも香具師の元締で、菊右衛門とは仲のよい名幡《なばた》の利兵衛《りへえ》にたのみ、利兵衛が、

「これなら大丈夫だという人が、いま、京におるわい」

そういって、藤枝梅安を白子屋菊右衛門に引き合わせたのであった。

そのときに、梅安が金五十両で暗殺したのは、ある公家《くげ》の家来であったが、殺し針一本で、みごとに、人知れず仕事を終えた梅安の手ぎわを菊右衛門がほめたたえ、

「いつまでもわしの手もとにいてくれぬやろか。悪いようにはせぬ」

と、親身にいってくれたのを、梅安は、いまも忘れていない。

「だが、その白子屋が、なんで、あの峯山又十郎と……？」

彦次郎も、わけがわからぬ。

「いずれにせよ、今夜は峯山が墨屋へ泊ることはたしかだから、ゆっくりと二人して考えようではないか」

「だから、どうする？」

「うむ、そうだね……」

梅安は、しばらく考えたのちに、

「ちょいと、出て来るよ、彦さん」

「もう夜ふけだぜ。どこへ行きなさる?」

「おそらく白子屋の元締は今夜、祇園町の井筒へ泊るにちがいない」

「そこへ行きなさるのか?」

「そうさ。お前さんは墨屋の峯山又十郎に、気をつけていておくれ」

「よし、わかった」

「そうだ。すこし金をやって、部屋を二階に替えてもらおう。もしやすると、峯山が泊っている座敷が見えるやも知れない」

後を彦次郎にまかせ、藤枝梅安は祇園町へ出かけて行った。

「久しぶりでこちらへまいったので、立ち寄ったが、大坂の白子屋の元締にお変りはないかね?」

井筒へ行き、そういうと、菊右衛門の妾のお崎が飛出して来て、

「あれまあ、梅安先生。ちょうど、元締が京へ見えておいでどす」

「では、ここに?」

何くわぬ顔の梅安へ、

「さあさあ、こちらへ」

お崎は手をとらんばかりにして、梅安を奥へ案内した。

五年前のあのとき、梅安は得意の鍼《はり》で、お崎の難病をすっかり癒してやったことがあるので、お崎は梅安を見ると下へも置かなかったものだ。

「や……こりゃ、めずらしい人が来てくれたものじゃ」

すこし前に墨屋から引きあげて来たらしい白子屋菊右衛門が、血色のよい温顔を笑みくずし、

「お崎や。梅安さんにごちそうして」

「あい、あい」

すぐさま酒がはこばれる。

お崎は、料理の仕度にいそがしくなった。

たがいに、くみかわしつつ、

「ところで梅安さん。今度は何で？」

「いえ別に……ちょいと暇になったものだから、悦堂先生のお墓が見たくなってね」

「そりゃ感心。へえ、さよか。ちょいと、暇になった……？」

「京の町も変らぬようでいて、やはりどこか、すこしずつ変りましたな。明日からゆるりと見物しようとおもっていますよ」

「へへえ、いま、暇に？」

「さよう、暇です」

にんまりとなった梅安が、

「元締のたのみなら、はたらいてもよい」

と、ささやいたものである。

「へっ……」

菊右衛門が、くびをすくめた。

「さすが梅安さんや。よう、わかったなあ」

「なにか、むずかしい殺しらしいが……」

「さようさ。だが、この殺しは、梅安さんには気の毒な……」

「ま、いって見てごらんなさい」

「そりゃな、殺す相手は、こいつ世の中に一日たりともおいてはおけぬ毒蝮《どくまむし》やが、なんというても、骨が折れる割に出る金《もの》がすくないのでな」

「そんなに手ごわい相手なので？」

「そうじゃ。生かしてはおけんやつだが、なんというても出るものが……わしがむかしなじみの、ま、梅安さんだからいうのやが、大坂の油屋で住吉屋庄兵衛という人のたのみゆえ、ことわりかねているのじゃ」

「住吉屋……では、その油屋の？」

「いや、そうじゃない、そうじゃない。たのむお人は、別のおさむらいでな。それも或るお大名の家来ゆえ、おもてに立てぬのじゃ。それにな、梅安さん。そのおさむらいの腕では、とても、あの毒まむしの鎌首《かまくび》を切りきれまい」

「おもしろいな、元締」

「ま、たのむ人が身分の軽いさむらいゆえ、出るものが出ない。仕掛人の手へわたる金は二十両だけじゃ」

「それでよい、毒まむしを殺《や》るのが気に入った」

「それなら梅安さんが、引きうけてくれる……？」

「よろしいとも、元締」

白子屋菊右衛門が苦笑して、

「酔狂《すいきょう》な、お人じゃなあ」

と、いった。

藤枝梅安は一刻（二時間）ほどを〔井筒〕にすごし、白子屋菊右衛門から、くわしい事情をききとった。今度の場合、別に大金をつまれての殺しではないし、それだけに菊右衛門も、すべてを梅安の耳へ入れておこうという気になったのであろう。

梅安が玉水屋へもどると、彦次郎がじりじりしながら待っていた。

部屋が二階へ替っていた。塀ごしの、ななめ向うに墨屋の二階があり、峯山又十郎が泊っている部屋の窓も見えるそうな。

「峯山は寝てしまったろうね」

「それよりも梅安さん。いってえ、どうなったのだ?」

「よかったよ、彦さん、早まったまねをしなくてさ。やっぱり峯山又十郎ではない。又十郎の弟の井坂惣市が、お前さんのおかみさんにひどいことをしたと見てよい」

「そ、そうか……」

青ざめた彦次郎の面《おもて》へ、べっとりとあぶら汗がにじみ出てきた。

「彦さん。おどろいてはいけないぜ」

「え……?」

「あの峯山又十郎さんは、なんと、弟の惣市殺しを白子屋の元締にたのむため、わざわざ郡山から出て来たのだよ」

「ほ、ほんとうかね?」

「仲へ入っているのは、大坂の住吉屋という商人《あきんど》で、これは又十郎さんの父ごとも親しく、又十さんのために養子口《ようしぐち》を見つけてやった人でもある。なかなか顔がひろくて、だから、白子屋の元締とも親しくしているのだろうね」

「なるほど……」

白子屋菊右衛門は、以前から仲介人のたのみだけでは絶対に〔殺し〕を引き受けぬ。直接に、殺しの依頼人と会い、くわしい事情をききとった上で引きうけもするし、ことわりもする。それがこの道の本すじであった。

「彦さん。その井坂惣市というやつは、京にいるのだよ。毒まむしのような奴だそうだ。実の弟ながら、又十さんも捨ててはおけなくなったのだろうね。ところで彦さん……」

と、梅安がぽんと彦次郎の肩をたたき、こういった。

「その井坂惣市殺しを、私は白子屋の元締から請負ってきたよ。礼金は合わせて二十両。私たちの鼻紙代だが、彦さん。むろんお前さん、手つだってくれるだろうね」

七

京都の北郊に、山端《やまばな》というところがある。

若狭《わかさ》街道に面した村だが、なんといっても若狭と上方をむすぶ場所であるし、若狭から京へはこばれる魚が山端のあたりまで来ると、ちょうど塩かげんがよくなるというので、そこをすかさず賞味しようという京童《わらんべ》が山端で待ちかまえていた、などといわれるのも、新鮮な海の魚に乏《とぼ》しい京都らしいはなしだ。

そういうわけで、街道沿いには料理茶屋も二、三あるし、茶店もある。

高野川《たかの》をへだてた山端の西側は、松《まつ》ヶ崎《さき》山の裾につらなる森や林と、松ヶ崎村の農家が点在しているのだが、その川沿いの木立の中の一軒家に、峯山又十郎の弟・井坂惣市が住んでいるのだ。

惣市は、兄の又十郎とちがい、剣客だった亡父・井坂宗兵衛の血すじをひいたものと見え、少年のころからたくみに剣をつかい、十六歳のころには、父の道場へ通っている門人たちも、

「歯がたたぬほど……」

に、なった。

「それが、弟のためにはいけなかった。少年の慢心《まんしん》は一生をあやまると申すが、まことでござる」

しみじみと、峯山又十郎が白子屋菊右衛門にもらしたという。

又十郎が見こまれて、郡山の峯山家へ養子に去ったのち、井坂惣市は亡父の道場を引き継ぎ、当初は得意満面であったが、その後がどうもいけない。

なんといっても二十《はたち》をこえたばかりの若者が自信過剰となって威張り散らすものだから、門人たちが寄りつかなくなってしまった。

そうなると、惣市も、おもしろくない。

ついには、酒と女に溺《おぼ》れこむようになる。

酒と女には、費用がかかる。

その金がないというので惣市は、だいぶんに悪事をはたらいたらしく、そのうち、路上で、備前《びぜん》・岡山藩士と喧嘩《けんか》をし、相手を斬殺してしまったので大坂にもいられなくなり、流浪の旅へ出たということだ。

とすれば、尾羽《おは》打ち枯らしたあげく、井坂惣市が無頼浪人の一人といっしょに江戸へあらわれ、彦次郎の女房に非道をはたらいたであろうことも、なっとくできようというものである。

それはさておき……。

惣市が遠国で放浪しているのなら、峯山又十郎もかまわぬことだったろうが、大坂出奔《しゅっぽん》以来、ときどき、郡山城下へあらわれては、兄に金をねだる。

又十郎も養子の身ゆえ、おもうにまかせぬ。ほとほと困り果てたものだ。

そして、二年前に……。

井坂惣市が京都へ住みついた。

大坂の岡山藩士殺しのほとぼりもさめたことだし、京都では大坂や江戸とちがって、官憲の取締りがうるさくない。

京は、天皇おわす皇都で、諸事おっとりとしているから、あまり恐ろしい犯罪もない。しかも、京の土地柄、奉行所や所司代《しょしだい》も、何事につけ、

「事なかれ主義」なものだから、惣市のような乱暴者が押し通ると、眼をそむけてしまうようなところがある。

惣市は、江戸以来の仲間である武州浪人の木村平次のほか、諸方で拾いあつめた無頼浪人四名を従がえ、松ヶ崎にあった無人《むじん》の一軒家をさがし当て、ここへ無断で乗りこみ、住み暮しはじめた。

松ヶ崎村では、浪人たちの退去をせまったが、きくものではない。そればかりか、村の農家へあらわれては米・味噌を強奪して行くし、村の女たちを犯す、山の木を切り取るなど、乱暴のかぎりをつくすものだから、村方が奉行所へ訴え出た。

役人が出張《でば》って来たが、惣市らの凄まじい面がまえを見るや、ほうほうの態《てい》で引きあげてしまった。

それから惣市らは、京都市中へ出没し、無銭飲食をやったり、喧嘩を売って金にしたり、商家へ強請《ゆすり》をかけたり……ともかく井坂惣市は二十余年も、こうしたことをやってきているのだから、悪事をすることなすことが、

「堂に入っている」

のであった。

警吏には証拠をつかませないし、暴行狼藉《ろうぜき》をした相手には、それ相応の弱味をつかんで口

を封じてしまうのである。

この評判が、商用で月に二度は京都へやってくる大坂の住吉屋庄兵衛の耳へ入った。

庄兵衛はおどろいて大和郡山へ駆けつけ、実兄の峯山又十郎へこのことを告げ、

「そんなことが、御家中《ごかちゅう》へきこえたら、又十郎どのにも災難がふりかかってくる。これは早いうちに、何とか始末をせんといかぬ」

と、いった。

もっとものことである。

又十郎は、とても惣市を討つだけの腕前がない。そもそも剣術なぞに関心がなく、少年のころも読書ばかりしていた又十郎だけに、

「拙者が、ひそかに弟を討ち果してしまえばよいのですが……、とてもむずかしい。ともあれ、弟めがそうして、世の人びとを苦しめ、迷惑をかけつづけていることをおもうと、居ても立ってもいられぬ」

苦悶《くもん》の態《てい》であった。

そのとき、住吉屋が、

「のう、又十郎どの。これは、わしがおもいついたことじゃが……他人《ひと》の手を借りて、惣市を始末してもろたら、どうやろか」

「他人の手を借りて……？」

仕吉屋は、親しい白子屋菊右衛門に、惣市の始末をたのむことをおもいついたのである。

しかし、その費用が出ない。白子屋に問い合わせると、それだけの大仕事なら百五十両はもらわぬと、とても引きうけてくれる仕掛人がいない、と、いいわたされた。住吉屋も養子だし、又十郎も養子である。隠居したとはいえ、ともに養父母が健在だし、そうなると勝手に、家の金を出し入れするわけにはゆかぬ。

そこで二人が、一所懸命に工面《くめん》をした金が四十五両。これをもって峯山又十郎が、白子屋菊右衛門へ会いに来たのであった。

「彦さん。今度は、ちょいと骨だよ。手ごわい浪人どもが合わせて六人だ。まともに斬り合ったら、私たちもかなわないからねえ」

松ヶ崎の浪人どもの隠れ家をさぐって来た藤枝梅安が、そういうと、彦次郎は不敵《ふてき》に笑い、

「冗談をいってはいけねえ。この二人が気をそろえてやっつければ、なんとか道はひらけようさ」

「よし、わかった。まあ、あせらずにやろうじゃないか」

「いいとも。おれも肚《はら》がすわったよ」

墨屋に泊っていた峯山又十郎は、白子屋菊右衛門から「承知した」との返事をきき、一

「まかせて下され」

応、郡山へ帰って行ったらしい。

八

その日の午後……。

井坂惣市配下の無頼浪人が、したたか昼酒に酔い、四条河原の人ごみの中を歩いている。

二人とも若い。二十年前に彦次郎が見た惣市たちと同じような、荒《すさ》んだ眼つきをしていた。

もっとも、小ざっぱりとした衣服を着ているところを見ると、六人組の悪事が、このところ軌道に乗ってきているらしい。

四条の河原から四条通りにかけては、京都随一の盛り場といってよい。

秋日和《あきびより》の空の下に、見世物小屋や茶店がならび、鴨川の中州《なかす》の雑踏は相当なものだ。

「こら、どけい!!」

「前をふさぐなっ!!」

二人の浪人は、わがもの顔にのし歩き、すれちがう人びとを突き飛ばしたり、なぐりつけたりしながら、四条小橋を西へわたりかけた。

そのときである。

小橋の東たもとから、藤枝梅安と彦次郎が足早に橋をわたって来て、橋の中央で、浪人ふたりとすれちがいざま、軽く躰《からだ》を打ち当てた。

梅安は左の、彦次郎は右の浪人に、それぞれ軽く、ぶつかった。

「ばかっ!!」

「ぶれいなやつ!!」

二人の浪人が怒鳴り、梅安と彦次郎をなぐりつけようとして、

「あ……」

「う……」

わずかに呻き、振りあげた拳《こぶし》をそのままに、二人とも佇立《ちょりつ》したまま、ぽっかりと口を開け、白眼をむき出した。

「あっ……どうしたのじゃ?」

「な、なんや、これ……?」

橋をわたる人びとが、おどろいて二人を見たとき、すれちがいざま二人の浪人の心ノ臓へ深ぶかと〔殺し針〕を打ちこんだ梅安と彦次郎の姿は、もう何処にも見えない。

浪人たちの足がもつれたかとおもうと、二人同時に、板戸でも押し倒したかのごとく、うつ伏せとなって橋板へ死に殪《たお》れた。

やがて駆けつけた役人は、二人の死体をすぐさま取りかたづけてしまった。

ひと目見れば、この二人がどのような男たちか、だれの眼にもあきらかである。死体の引

き取り人をさがす、などという手間をかける必要もないのだ。

松ヶ崎の一軒家では、二日三日とたっても帰って来ない、浪人ふたりを、はじめのうちは、井坂惣市が、

「おれのところにいるのが嫌《いや》になり、どこかへ行ってしまったのだろうよ」

などといっていたが、そのうちに市中へ出た、これも若い浪人が、

「町のうわさでは、先日、四条小橋で浪人がふたり、だれかと喧嘩をして殺された、などといっております。井坂先生、もしや、それが……？」

と、惣市に告げた。

「そうかも知れん。ほうっておけ。あいつらはまだ、ろくな腕もねえくせに威張りたがるからよ」

惣市は、気にもとめぬ。

かくて、一軒家の無頼浪人どもは、合わせて四人となったわけだ。

それから七日後の夕暮れになって、井坂惣市が、二人の浪人をよびつけ、

「山端の平七で酒と魚を召しあげて来い。嫌な面《つら》をしやがったら、亭主の腕の一本も叩き折ってやれい」

と、命じた。

二人は、ふりしきる雨の中を出て行った。

〔平七〕というのは、山端の料理茶屋である。惣市たちは、この〔平七〕で、どれほど乱暴をはたらいたか数えきれぬ。酒や料理の強奪をはねつけると、茶屋へ来る客に乱暴をしかけるものだから、どうしようもない。

二人が出て行ったあと、廃屋《はいおく》のような一軒家の板の間へ万年床《どこ》を敷き、その上へ寝そべっている井坂惣市が、もう二十年も連れ立って悪事をはたらきつつ、放浪の旅を共にしている武州浪人の木村平次へ、

「おい、平次。ここも、そろそろ引きあげどきかも知れねえのう」

と、いった。

惣市も平次も、もう四十をこえていた。

「そうさなあ……いかに、屁《へ》の音もきこえねえ京の都といえども、いつまでも、おれたちに好き自由をさせてはおくめえよ」

「久しぶりに大和へ行き、郡山の兄に、強請《ゆすり》をかけて見るか。おりゃ、兄の困りきった面《つら》を久しく見ねえ。こいつ、おもしろくてなあ」

「ま、ここを発つ前に、すこし、まとまった金《もの》をつかんでおきてえものだ」

「そのことだ。まかせておけい」

惣市が、にやりと笑った。

ちょうど、そのころ……。

木立をぬけた浪人ふたりは、高野川へかかる板橋へ向っていた。このあたりの人びとがわたるための簡易な板橋である。

その板橋をわたって来た二人の男が、浪人の前へ近寄り、

「へい、へい。ちょいと、ものをおたずねいたしますが……」

笠をかぶったまま低く低く腰を屈《かが》め、あたまを下げた。二人とも簑《みの》を着て、素足に草鞋《わらじ》ばきという雨仕度であった。

二人の浪人は、肩にかついでいた雨傘をあげ、凄い眼つきで、

「こいつ。ものを問うなら、笠をぬげ!!」

「ぶれいもの!!」

と、わめいた。

雨仕度の男ふたりが、笠をぬごうともせず、ひょいと顔をあげた。

藤枝梅安と、彦次郎である。

梅安と彦次郎の口から、同時に、

「ひゅっ……」

するどい音がしたかとおもうと、

「わあっ……」

「ぎゃっ……」

浪人ふたりが、両手に顔をおおってよろめいた。

梅安・彦次郎が吹きつけた吹矢《ふきや》の、円錐形《えんすいけい》の鋭い矢が、二人の浪人の眼と喉《のど》へ喰いこんだのだ。

間髪《かんはつ》を入れずに短刀を引きぬいた梅安と彦次郎が浪人どもへ飛びつき、片手に口をふさぎ、片手の刃《やいば》を逆手《さかて》に、ぐいと心ノ臓へ突き刺した。

即死した二人の浪人の死体を、梅安と彦次郎は木立の中へ引きずりこみ、土中《どちゅう》へ埋めこんだ。

道にながれた血を、たちまちに雨が洗ってしまった。

それから、しばらくして……。

行燈《あんどん》のあかりもつけぬままに、一軒家の中で、井坂惣市が木村平次にいった。

「あいつら、遅いな」

「逃げたのかも知れねえ……」

「そうか、な……」

「惣市さんが、あんまり手荒くこきつかうからよ」

「そのかわりには酒ものませてやるし、女にも不自由はさせぬ、小づかいもやる。食うや食わずでうろつきまわっていたあいつらを、拾いあげてやったのは、このおれだ」

「ふふん……どうやらまた、二人きりにもどったな、惣市さん」

「せいせいしたよ」

と、受けた惣市の声が、妙にさびしく、虚《うつ》ろにきこえた。

語り合いながらも、二人は大刀を片時も傍からはなさぬ。これは、彼らが、いかに危険な橋をわたりつづけて来たかをしめすものだ。

さすがの梅安と彦次郎も、これまで何度も井坂惣市と木村平次を見かけながら、四人の浪人を片づけたときと同様なやり方では、

(とても、むりだ)

と、感じている。

この二人には油断がなかった。

そして、平次が二十年前のあのとき、惣市と共に女房・おひろを犯した男であることを、すでに彦次郎はみとめていた。

九

それから三日後の夜であった。

この日も朝から雨がふっている。しかし、三日前の烈しさではなく、霧のようにふりけむっていた。

松ヶ崎の一軒家で、井坂惣市と木村平次が女ふたりを全裸にして、責めさいなんでいる。

女たちは〔平七〕の仲居《なかい》なのだ。

この日の午後になって、

「毎日よく、ふりつづいていやあがる。憂《う》さばらしにひとつ、引っさらって来よう」

と、惣市がいい出し、二人して山端の料理茶屋〔平七〕へ押しかけ、若い仲居を見つけて、

「いっしょに来い」

いきなり当身《あてみ》をくわせ、気をうしなって、ぐったり倒れかかるのを肩へ担《かつ》ぎ、一軒家へはこびこんでしまった。

それを見ていながら、平七の人びとは手も足も出せない。

そのとき強奪してきた酒をのみながら、惣市と平次が裸にした仲居を執拗《しつよう》に嬲《なぶ》りはじめた。

それは、単に男の性慾をみたすというような、なまやさしいものではないのである。若いときから、血なまぐさい悪業のかぎりをつくして来た惣市と平次が、四十をこえたいま、暗黒の行手に絶望をおぼえつつ、

「おれたちの目の前には、もう、地獄の釜《かま》の蓋《ふた》が開いているのだ」

と、いつか平次がいったように、この世の中で自分ひとりきりの胸の底へ、たまりにたま

った恐怖と不安を一時だけでも忘れようとして揮《ふる》う暴力なのだ。

だから、凄《すさ》まじい。

女たちが抵抗する余地など、あるはずもなかった。裸に引きむかれ、なぐりつけられ、半刻もたたぬうち、女ふたりは気息奄々《きそくえんえん》となり、惣市たちが嬲るにまかせている。

汗とあぶらにぬれて、こんもりとふくらんだ乳房のあちこちが血に染んでいた。男の歯に肌を嚙み破られたのだ。

「こいつら、怠《なま》けていやあがる」

叫んだ惣市が脇差を引きぬき、女の髪をつかみ、ばさっと切り落した。それほどのことをされても、女はもう、悲鳴をあげるちからさえ、うしなっていた。

行燈のあかりが、まるで洞窟《どうくつ》のような屋内をにぶく照らしている。

男女四人のあぶら汗と、異様な臭気とがたちこめている中で、さすがに木村平次は、うつ伏せになって身じろぎもせぬ女の臀部《でんぶ》を枕にして、うとうとしているらしい。

「畜生。この女め!!」

突如、井坂惣市がわめき、自分の目の下にぐったりと倒れている女の躰へのしかかり、陰毛をわしづかみにして、なんと、これを引きむしりはじめたではないか。

「ぎゃあっ……」

たまったものではない。その仲居が絶叫して、必死に逃げようとする顔をなぐりつけ、馬

乗りになった惣市が、

「畜生め、畜生め。うは、はは……」

気味の悪い笑い声を発しつつ、尚も執拗《しつよう》に陰毛をむしりつづける。

女が気をうしなった。

女の腹から太股のあたりへ、見る見る血があふれ出て来た。

やがて……。

井坂惣市が、土間へ下り立った。

さすがに、喉《のど》が渇《かわ》いたらしい。

水桶に突きこんであった柄杓《ひしゃく》を取って、たてつづけに何杯ものみほした。

そこへ、ふらふらと木村平次もやって来て、

「酔いざめの水か……」

「うまいぞ」

「すこし、へばったよ」

平次も、ごくごくと水をのむ。

こんなときにも二人は、左手に脇差をひっさげている。それが習慣となってしまったのだ。

「女どもを、どうする」

「ほうっておけ。明日また、嬲ってやろう」

「うふ、ふふ……」

二人は、また万年床へあがり、裸の女ふたりを板の間の隅へ蹴転がしておき、大の字なりに寝た。

しばらくして……。

「お、おい……おい、惣市さん」

急に飛び起きた木村平次が、

「変だ、おい、妙だよ。変ではないか?」

「む……何が……」

「胸が……おい、胸が苦しい」

いったかとおもうと、平次が、おのが胸のあたりを掻きむしるようにした。

「どうした、平次……?」

「う……あ……こ、こいつは、いかん。どうしたのだ、いったい……む、苦しい……」

「おい、平次……」

いいさした井坂惣市の顔が硬張《こわば》った。得体《えたい》の知れぬ不安が衝《つ》きあげてくるのと同時に、急に、胸の中へ焼火箸《やけひばし》を突きこまれたような激痛を感じたのである。

惣市と平次が、大量の血を吐き、そのあたりをころげまわり、苦悶の連続のうちに息絶えたのは、それから間もなくのことであった。

その始終《しじゅう》を、板羽目の隙間《すきま》から見とどけていた藤枝梅安と彦次郎が、

「うまく行ったね、彦さん」

「あいつらが平七へ出かけた隙に、こっちがそっと、水桶の中へ毒薬《どくぐすり》を入れておいたのも知らねえで、野郎ども、おもしろいほどに水をのみゃあがった。ざまあ見やがれ」

「それにしても、惣市と平次が二人そろって、よく、あの水をのんでくれたよ。やり損《そこ》なったら、別の手を考えていたのだがね」

ふりけむる雨の闇をぬって、提灯《ちょうちん》もなしに歩き出しながら、彦次郎が、

「でも、あの水を、もし、女たちがのんだら大変だったね」

「なあに……」

と、梅安が、ちぎれた細引縄《ほそびきなわ》を出して見せ、

「こいつで、桶を括《くく》り、その先を戸の隙間から外へ出し、私がにぎっていたのさ。女たちが水をのもうとしたら、細引を引っ張り、水桶を倒していたところだ。もっとも、あいつらが苦しみ出してから水桶は倒しておいたがね」

「こいつは、たまげた」

「でもね、彦さん。あの毒薬は高かったよ。二十両が消し飛んでしまった」

彦次郎の、こたえはなかった。

歩きながら、彦次郎は男泣きに泣いていた。

五条の旅籠・玉水屋の二階座敷へもどってから、彦次郎は梅安の前へ両手をつき、

「ありがとう、梅安さん。おかげさんで、女房子の敵が討てました。おれはもう、いつが日、あの世へ行っても思い残すことはさらさらねえ」

しずかに、礼をのべたのである。

夜ふけてから、雨が熄《や》んだ。

障子の桟《さん》にとまった茶立虫《ちゃたてむし》が、小さな音をたてているのを、梅安が指さして、

「あの音はね、虫のやつがあごで桟をたたいているのだよ」

「へえ……ほんとうに梅安さんは、もの知りだねえ」

「ときに彦さん。そろそろ、江戸へ帰ろうか……?」

「梅安さんの、こころまかせだ」

二人は、茶わん酒をくみかわしている。

肴《さかな》は、女中が寝しなにもって来てくれた秋茄子《なす》の塩もみへ、水辛子《からし》をそえたものだけであったが、

「こいつは、たまらなくうまい」

と、彦次郎が舌つづみをうった。

「秋茄子は腸胃を冷《ひや》して、毒甚《はなはだ》しと、ものの本にあるよ」

「やっぱり、梅安さんはもの知りだ」

「なあに、それもこれも秋茄子がうまいからさ。諸事、食べすぎはいけないねえ」

「野郎どもは、水をのみすぎやがった。は、はは……」

笑って、そのまま寝倒れて、彦次郎が、あっとおもう間にいびきをかきはじめた。かつてないことではある。

藤枝梅安は立ちあがり、掛ぶとんを持って来て、彦次郎の躰へかけてやった。


二年後の、これも秋日和の或日《あるひ》。

藤枝梅安は、江戸の南伝馬町《みなみてんまちょう》通りを歩いていて、中年の侍に声をかけられた。

見ると、これが、峯山又十郎であった。

峯山は、公用で、江戸藩邸へ出張して来たのだそうな。

見ちがえるほどに肥《ふと》った峯山又十郎を、

「久しぶりのことですから、お酒をさしあげたい」

と、梅安が、通《とおり》三丁目の料理屋〔山の井〕へ案内し、酒をくみかわしながら、四方山《よもやま》ばなしがはずむうち、さり気もなく、

「峯山さまには、弟ごさまがおひとり、いらっしゃいましたねえ。私も弟がひとり、ほしい

とおもいます。なにしろ、ひとりきりだものだから……」

梅安がいうと、峯山は手を振って、

「いやいや、なまじ、兄弟などは、ないほうがよろしい」

顔をしかめて見せた。

「さようですかなあ」

「さようだとも」

「峯山さまの弟ごさまは、お達者で？」

「いや、それが……」

と、峯山又十郎の、肉づきのよい温厚な顔へ、あかるい笑いが波紋のようにひろがり、

「それがな、先年、病気で死にましてなあ」

と、峯山が、さもうれしげにいった。

後は知らない

一

「先頃《さきごろ》は、梅安さんのお好みゆえ、どうも、ひどい仕事《しかけ》をさせてしもうた。そのお返しというわけではないのやが、今度は、たっぷりと金《もの》が出る。やって見る気はないかいな？」

と、白子屋《しろこや》菊右衛門《きくえもん》が、藤枝梅安にいった。

「さようですなあ……」

「江戸へお帰りは、いつのことや？」

「さ、それが……」

梅安の、大きく張り出した額の下にくぼんでいる団栗《どんぐり》のように小さな眼が、微《かす》かに笑い、

「財布が、すっかり軽くなってしまったのでね。また鍼医者《はり》にもどって、すこし稼《かせ》がぬと、のんびり江戸へは帰れない」

つぶやくように、こたえた。

かの、井坂惣帀をはじめ、鬼畜《きちく》のごとき無頼浪人どもを暗殺した藤枝梅安と彦次郎は、それから半月を経たいまも、京都にとどまっていた。

宿は依然、五条橋・東詰の旅籠〔玉水屋〕であった。

京都の町奉行所は、井坂ら無頼浪人の死因を、ろくにたしかめようともしなかった。

こやつどものために、何人もの男女が、むごい目にあってきている。

彼らが、だれに殺されようと、

「知ったことではない」

のであった。

梅安も彦次郎も、安全であった。

もっとも、たとえ警吏の目が二人を探しまわったとしても、それはむだであったろうが……。

夏がすぎ、日毎に秋が闌《た》けてゆく京都の風光は、立ち去りがたい魅力をそなえていたし、梅安にとっても、京がはじめての彦次郎を諸方の遊所や名所旧蹟へ案内することが、たのしかったのである。

二人は、金しだいで殺人を犯すという〔仕掛人《しかけにん》〕の境涯を忘れきっていた。

しかし、

「そろそろ、江戸へ帰ろうかね」

梅安がいえば彦次郎も、井坂惣市《いさかそういち》を殺して亡き女房・おひろの敵《かたき》を討ったことを、

「江戸の、おひろの墓へ知らせてえな、梅安さん」

と、いい、さびしくなった財布の中身をあらためて見て、

「これじゃあ、江戸へ帰る早々に、仕事をとらなくてはならないね」

「そのとおりさ」

ためいきをついているところへ、白子屋菊右衛門の妾・お崎がやっている祇園町の茶屋〔井筒〕から、藤枝梅安に呼び出しがかかったのであった。

呼び出しをかけたのは、いうまでもなく、大坂の香具師《やし》の元締で、暗黒の世界に勢力を張る白子屋菊右衛門である。

「今度の仕事は入る金《もの》も大きいが、よほどの仕掛人でないと、手に負えぬのじゃ。さいわい梅安さんが、まだ京にとどまっていると、お崎からきいたものでな、すぐに駆けつけて来たのや」

菊右衛門が、そういった。

「それで、出る金《もの》は？」

「梅安さん。一人で百両じゃ」

「ほう……」

殺しの相場もいろいろとあるが、まず、一人につき金五十両なら〔上ノ部〕としなくてはなるまい。それが百両というのなら、殺す相手は、よほどの大物と見てよい。

藤枝梅安は、沈黙した。

殺す相手や、殺さなくてはならぬ事情について、本格の仕掛人は、いっさい口を入れぬのが、この世界の定法《じょうほう》だが、

「世の中に生かしておいては、ためにならぬやつ……」

だけを、殺すのも定法である。

それは、白子屋菊右衛門のように、仕掛人をあやつる者の〔責任〕だと、いわねばなるまい。

仕掛人としては、それを信ずるよりほかに道はない。

(白子屋なら……)

間ちがいはあるまい、と、梅安はおもった。

かつて、上方《かみがた》にいたころ、梅安は白子屋菊右衛門の依頼で三度ほど殺しをやってのけたが、いずれも裏切られたことはない。殺した相手は、みな、「世の中に生きていては困るやつ」だったのである。

「よろしい」

と、梅安が、こころをきめ、

「引きうけましょうよ、元締」

「やってくれるか？」

「で、相手は？」

「いや、それがな。実は梅安さん。先頃の、あの浪人どもを、彦次郎さんとやらいう仕掛人と二人で片づけてくれた腕を見こんでたのむのじゃが……」

「ふむ……」

「相手は、ひとすじ縄ではゆかぬやつや」

「どこの、だれですね？」

「さむらいや」

「ほう……」

「金子《かねこ》又蔵《またぞう》というさむらいや。剣術は大したものやそうな」

「その、さむらい一人を殺《や》ればよいのですね？」

「やって見なさるかいな？」

梅安は、身内に闘志がわきあがってくるのを感じた。

それほどに、端倪《たんげい》すべからざる強さをもった相手が、

「この世に生きていてはならぬやつ」

というのなら、ぜひにも、

（おれが、殺さずばなるまい）

と、おもったのである。

「で、その金子なにがしは、どこにいるのです？」

「それがな。京の町から、すこしはなれたところにいるのじゃ」

二

庭に、虫が鳴きこめている。

玉水屋の奥座敷で、井筒からもどって来た藤枝梅安と彦次郎が酒をくみかわしていた。

蒸焼にした松茸《まつたけ》の香りが、

「こたえられねえ」

と、彦次郎が、

「梅安さんに、すっかり世話をさせちまって申しわけがないねえ」

いいながらも、梅安が蒸しあがった松茸の石突へ指をかけ、器用に引き裂いては小皿にとってくれる松茸に、舌つづみを鳴らしていた。

「なあに、かまわないよ、彦さん。松茸は蒸焼にまさる風味はないとおもうが、本来ならば野外の、松林の中で焚火《たきび》をしてね、その熱い灰に入れたほうがよい」

「ふうむ。そんなものかね」

いま、梅安は、充分に熱しきった焜炉《こんろ》から火を引いたあとへ、宿で下ごしらえをしてくれた松茸を丸のまま紙へ包み、水につけてしぼりあげたものを入れて、これを蒸焼にしているのである。

松茸は、伏見の稲荷山で採《と》れたものだ。

「それで梅安さん。いまのはなしのつづきだがね。何も江戸に帰るに困るほどというわけでもなし、此間《このあいだ》の浪人殺しで、お前さんもおれも、ずいぶんと神経《き》をすりへらしている。むりはしねえがいいとおもうんだが……」

「それもそうだが、彦さん。いずれにしても百両だよ」

「久しぶりの大仕事になるねえ」

「二人でやらぬか、五十両ずつだ。そうすれば、ゆるゆると寄り道をして道中をたのしみながら、江戸へ帰れることになる」

彦次郎は、軽くうなずき、しずかにこういった。

「何事も、おれは梅安さん次第だ」

「そういわれては困るが……」

「いや、それでいい。これからのおれは、そうしてえのだ」

梅安もさからわなかった。

「では、いっしょにやろう」

「いいともね」

二人の眼と眼が、はっと合って、

「今度も大丈夫そうだね」

同時に、いったものだ。

二人の予感が、

（今度も、二人とも無事に仕掛けをすますことができる）

ことを、ささやいたのであろう。

だが、そうした予感も、間々はずれることを、梅安も彦次郎も、よくわきまえていた。

梅安の助力を得て、女房おひろの敵を討つことができたときから、

（梅安さんのためなら、おれのいのちなぞ、すこしも惜しくはねえ）

おもいきわめている彦次郎であった。

「それで、梅安さん。目ざす相手の金子文蔵とかいうやつは……？」

「草津の宿《しゅく》から少し先の、目川《めかわ》という村にいるらしい。なんでも、十五、六の少年《こども》と二人で潜み隠れているそうな」

「隠れている……？」

「白子屋の元締は、くわしいことをいわなかったが……どうやら、中国地方《すじ》の、どこかの大

名の家来だったらしい」

「その、こどもは自分の子かね、弟かね？」

「さて、な……」

「すると、こいつはなんだね。どうやらおれたちが、その金子又蔵の主人すじの代りに、金子を殺《や》るという……」

「そこのところは、元締もいわなかったよ。また、きくまでもないことさ」

「ちげえねえ」

「何しろ彦さん……」

いいさして藤枝梅安が巨体をひとゆすりし、しゃれた細工の銀煙管《ぎんぎせる》を手にとった。この品は、京で名高い煙管師・後藤兵左衛門《ごとうへいざえもん》作のもので、梅安にとっては恩師でもあり育ての親でもあった鍼医者・津山悦堂形見の煙管だ。

「何しろ、その金子又蔵というのは、これまでに、六度も刺客に襲われ、そのたびに、これを返り討ちにしているそうな」

「すごいお人だねえ」

と、彦次郎がにんまりとした。

その笑いもまた、凄い。

「そしてね、彦さん。海坊主を見たような大男だそうな」

「それなら、梅安さんと相撲《すもう》をとったがいい」

藤枝梅安は、ふところから手つけの半金・五十両の小判を出し、これを二つに分け、一つを彦次郎の前へ押しやってから、だまって煙草のけむりを吐いた。

「梅安さん。いつ京を発つね。明日かえ？」

梅安が、うなずく。

東海道・草津は、京都から六里二十四丁。目川村は、その先ゆえ、先ず草津へ泊って相手のうごきをさぐることになる。

梅安は、白子屋菊右衛門から受け取った絵図面を、彦次郎の前へひろげて見せた。

そこには、目川村の、金子又蔵の隠れ家の場所が入念に描かれていたのである。

三

東海道・草津は、近江の国・栗太《くりた》郡の中央にあり、中仙道《なかせんどう》と東海道は、ここに合して京都へ入る。

むかしの本に、

「……草津は駅次にして旅舎はなはだ多く、富裕の者なきにあらず。駅馬乗下の荷物貫目の制法あり、江戸より上るには品川駅にてあらため、江戸に下る者は此駅《このえき》にてあらたむるを法とする」

とあるように、草津は、東海道宿駅中の要衝《ようしょう》だ。

京都を発した藤枝梅安と彦次郎は、軽い旅装で草津へ入り、旅籠〔野村屋安兵衛〕方へ草鞋《わらじ》をぬいだのである。

梅安は、先ず旅籠の者たちへ、たっぷりと〔こころづけ〕をはずみ、一夜のうちに手なずけてしまった。

これから何をするにしても、この旅籠が、

「私と彦さんの根城《ねじろ》になるのだから……」

こうしたことが肝心なのである。

「後からやって来る者と、此処《ここ》で待ち合わせることになっているので、三日ほど泊めてもうやも知れぬよ」

と、梅安は、あいさつに出た野村屋のあるじに告げた。

翌朝も遅くなってから、梅安と彦次郎は野村屋を出て、目川村へ向った。二人とも旅姿ではない。

梅安は、京の鍼医。彦次郎は、その下男というふれこみであった。

「石部《いしべ》の宿に知り合いの人がいるので、ちょいとたずねて来る」

と、梅安は野村屋へいっておいた。

草津から石部までは、二里二十五丁。

目川は、その間にある村落だが、街道沿いにある〔伊勢屋〕をはじめとして、名物の菜飯《なめし》と田楽《でんがく》を食べさせる茶店が三軒ほどある。

昼には、まだすこし早かったけれども、梅安と彦次郎が目川へ入って、先ず目をつけたのが、菜飯田楽の〔伊勢屋〕であった。

「彦さん。ここはね、田楽の元祖だというよ」

「へへえ……梅安さんは、何でも知っていなさるねえ」

豆腐へ熱い味噌をつけた田楽で酒をのみはじめた二人のほかに、昼前のこととて他の客はいなかった。

空は、しずかに曇っている。

風も絶えていた。

「大へんにおいしい。酒もよいな」

と、梅安が〔こころづけ〕を伊勢屋の女中へ、そっとわたし、にっこりと笑いかけつつ、

「このあたりに、ほれ、躰《からだ》の大きなおさむらいと、年の若いおさむらいが住んでいなさるだろう。私はね、たのまれて、そのお人の病気を診《み》に来た鍼医者なのだが……お住居は、どこかな？」

そういっているうちにも、女中の顔色が変ってきて、

「ちょいと、お待ち下さいまし」

あわてて、土間の奥へ駆けこんで行ったではないか。

（……？）

梅安と彦次郎は、顔を見合わせた。

伊勢屋の、老いたあるじが、奥からあらわれ、

「もしや……それでは、大津からおいでになった先生でござりますか？」

と、いう。

そこは藤枝梅安、ぬかりなく、

「さよう」

と、うなずいて見せた。

「今朝方、村の者がお迎えに参じましたが、ちょうど、大村杏庵《きょうあん》先生がお留守だとかで、お帰りになりましたら、すぐに、こちらへお出向き下さるよう、たのんでまいったそうで
……では、杏庵先生でござりましたか？」

「さよう」

この伊勢屋のあるじは、金子又蔵を、よく知っているらしい。

しかも、だ。

又蔵か、またはもう一人の少年のどちらかが、

(病気らしい)

のである。

梅安がいった嘘が、そのまま真実のものとなっていたわけだ。

これには梅安も彦次郎も、すくなからず、偶然の適合におどろいた。

「それほどに、悪いのか?」

と、梅安が伊勢屋のあるじにきいた。

「はい、はい」

ここで、田楽や酒を食べたり飲んだりしているどころではないらしい切迫した様子が、あるじの態度にうかがわれた。

してみると……。

この目川へ住みついてから、わずか三月《みつき》の間に、金子文蔵は、村人たちから親愛の眼《まなこ》をもって見られていることがわかる。

「よし、よし。では、まいろう」

藤枝梅安は、すぐさま腰をあげ、彦次郎へ眴《めくばせ》を送った。

伊勢屋の女中が、案内に立った。

伊勢屋の裏手から畑道をたどって行き、小高い丘の裾の竹藪《たけやぶ》を背にした百姓家を、

「あそこでござります」

と、女中が指さした。

梅安が、

(こうなったら彦さん。一《いち》か八《ばち》かだよ)

と、目顔でいうや、彦次郎はうなずき返し、先へ立つ女中に知られぬように、吹き矢の用意を、歩きながらしはじめたようだ。

梅安と彦次郎は、百姓家へ飛びこんだ。

うす暗い部屋の一隅に、巨体をねじりまわすようにして、さむらいが苦しみ悶《もだ》えてい、その傍に、十五、六歳の少年がつきそっているのだが、介抱の仕様もないらしい。

それほどに、巨漢の苦しみは凄まじかった。

「あっ……」

少年が、梅安を見て突き立ち、駆け寄って来て、

「大村杏庵先生でござるか?」

叫ぶように、いった。

「さよう」

と藤枝梅安、いささかもあわてぬ。

「早く、早く……お診《み》たて下さい」

「心得た」

四

大男のさむらいの筋骨は、見るからにたくましく、傍に置いてある薩摩拵《こしら》えの大刀も、常人が揮《ふる》いかねるほどに長い。

これが、金子又蔵であった。

「う、うう……」

いまは一時、激痛が軽くなっているところらしく、又蔵は身をよじり、呻いてはいるが、

「今朝方から二度、三度と、痛みが激しくなりますと……此処から土間へ、ころげ落ちるほどで、私や村の人びとが、いかに押えても押えきれませぬ」

そういった少年も心痛の極に達しているのだろうが、声音もしっかりとして、落ちつきがあり、

「私は、佐川久馬《さがわきゅうま》と申します。よろしゅうおねがいをいたします」

両手をつき、梅安にあいさつをしたときの様子を見ると、この少年が、とうてい悪人の片割れとはおもえぬのである。

梅安は、さっそく診察にかかった。そこは鍼の名手だけあって、その辺の町医者など逆立《さかだ》ちをしてもおよばぬ藤枝梅安の診察ぶりは、悠々たるものであった。

久馬少年がにぎりしめた両の拳をわなわなとふるわせ、梅安と金子又蔵を見まもっている。

少年のうしろには、村の若者が二人いて、又蔵が激痛をこらえかねて暴れ出したとき、少年と共に、これを押えつけるつもりらしい。二人とも疲労が濃く浮いて出ていた。

はだけて見える又蔵の厚い胸肌に体毛が密生してい、刀痕が左肩に一ヵ所と、胸に二ヵ所、見えた。浅い傷痕だが、まだ生ま生ましい。

(この、さむらいなら、よほどの刺客が来ても寄せつけはすまい)

と、梅安はおもった。

おそらく、前に彼らを襲った刺客は武士であったろう。それがすべて金子又蔵に撃退された。

そこで梅安がえらばれたのは、剣術を知らぬ梅安や彦次郎の、仕掛人としての、はかり知れぬ技術によって、この大男の息の根をとめてしまおうということだ。

刀を揮わずとも、梅安と彦次郎には〔殺し針〕があり、精妙な〔吹矢〕があり〔毒薬〕があり、殺しの〔頭脳〕の冴えがある。

「このお人は、あなたの……?」

と、梅安が診察をしながら、佐川久馬に問うた。

そのとき、久馬は眼を伏せた。

鞣《なめ》し皮のような彼の、しなやかなくびすじに血の色が浮かんでくるのを、梅安は見た。

「友、でござる」

「あなたの、お友だち……?」

「はい」

金子又蔵は、三十前後に見えるし、何しろ毛むくじゃらの大男であるから、十五も年下の佐川久馬の細っそりとした美貌とが、どうしても、

「友だち同士」

として、むすびつかぬ。

もがきぬいている金子又蔵の診察を、どうにか終えた藤枝梅安が、目顔で久馬をうながし、外へ出た。

「先生。いかがでしょうか?」

梅安は、かぶりをふって見せ、そのこたえとした。

「いけませぬか?」

「医薬の手の、およばぬ死病でござる」

と、梅安はいいきった。

金子又蔵の急病は、いまでいう〔腸捻転〕か、または急性の〔化膿性腹膜炎〕であったらしい。

こうした病気にかかったが最後、まだ手術が医学にとり入れられていなかった日本では、致命的なものとなって、

「手のほどこしようがない」

のである。

そのとき……。

「うわあ……」

又蔵の魂消《たまぎ》るような声がきこえた。

またしても激痛が襲いかかってきたらしい。

佐川久馬が、屋内へ走りこんで行った。

いつの間にか、彦次郎が外へ出て来ていた。

「梅安さん……」

「私たちが手を下すまでもないね」

「そうか。で、いつごろ……？」

「今日いっぱいは、とても、もつまいよ」

「仕掛けに来て、目ざす相手がこんなことになるなんて、おれは、はじめてだよ」

「そりゃ、私もさ」

屋内で、猛獣の吼《ほ》えるような叫びがきこえた。

「は、はらわたがねじ切れる。ね、ねじ切れそうじゃ……」

と、金子又蔵がわめいて暴れ出すのを、久馬と二人の若者が必死に押えつけようとする。押えつけるよりほかに何の看病も手段もないのであった。

「もう、いかぬ、もう、だめじゃ。き、久馬。か、覚悟してくれ、たのむ、たのむ。おれは、もう……こ、これまでじゃ」

わめくや否や、又蔵は、しがみついている三人を振り飛ばした。恐るべき怪力といわねばならない。

「ならぬ、又蔵殿。それは、ならぬ」

久馬が、なんともいえぬ絶叫を発したので、外に立っていた藤枝梅安と彦次郎が、おもわず土間へふみこんだ、その瞬間であった。

三人をはね退《の》けた又蔵が脇差をつかみ、これを引きぬくや、仁王立ちとなったまま、わが心ノ臓を深ぶかと突きつらぬいたのである。

血しぶきがけむった。

「あ……」

さすがの梅安と彦次郎も、立ちすくむかたちとなった。

白眼をむき出した金子又蔵が、ゆっくりと両ひざをつき、両手を脇差からはなし、仰向けに倒れた。

「ま、又蔵殿……」

その、厚くてひろい胸へ、佐川久馬少年が飛びつき、顔を伏せた。

村の若者ふたりは、茫然自失《ぼうぜんじしつ》している。

五

「佐川久馬は、金子又蔵の色子《いろこ》だったらしいね」

と、藤枝梅安がいった。

「おれも、そうおもうよ」

と、彦次郎。

あれから、二人はすぐに草津へ引き返し、身仕度をととのえて野村屋を発《た》った。

金子又蔵が死んだとなれば、二人のなすべきことは何もないのである。

今夜は、大津泊りのつもりであった。

「こうなっては、私たちのふところへは、一文も入らないね、彦さん」

「仕方もねえことさ」

又蔵は、二人の手によって殺されたのではない。突然に死病を発し、みずからいのちを絶ったのだ。

ゆえに、二人は殺しの報酬をうけることができない。いや、うけるべきではない。それが、本格の仕掛人の定法《じょうほう》なのである。

この場合、梅安が、

「私たちの手で、金子又蔵を、たしかに殺《や》った」

と、白子屋菊右衛門に報告をすれば、すでにうけとった半金五十両を返さずにすむばかりでなく、残り半金の五十両をもうけとることができよう。

しかし、もしも後になって真偽が判明したときには、この世界における藤枝梅安と彦次郎の信用は地に落ちてしまう。

「さっき、佐川久馬が金子又蔵の色子だといったが……」

と、梅安が、瀬田《せた》の大橋へさしかかったとき、ふと足をとめ、

「あの二人は、どうも躰をゆるし合うていたようにはおもえぬな」

つぶやくように、いった。

男色といっても、形態はさまざまである。

男と女が愛し合うように、男同士が肉体を愛撫し合うのも男色だが、強い精神的な愛にむすばれているのも、一種の男色といえる。ことに武士の世界にはそれが多い。梅安は、又蔵と久馬の関係を精神的なものと見たのだ。

「そうかねえ……」

彦次郎が苦笑し、

「おれも、四十をこえて、いろんなことをしてきたが、そいつだけは、まったくわからねえ」

「どうもね、彦さん……」

「え……?」

濃い夕闇につつまれた橋の上で、また梅安が立ちどまった。

「どうも、ね……」

「いったい、どうしなすったんだ、梅安さん」

「あの二人は、悪い人たちではないような気がして、ならないのだよ」

「む……おれも、そうおもう」

「これは、白子屋の元締が、起りにだまされているのではないか……どうも、そのような気がしてきた」

〔起り〕というのは、白子屋菊右衛門へ又蔵殺害を金でたのんだ第一の依頼人を指す暗黒の世界の用語である。

「いってえ、あの二人には、どんな事情《わけ》があるのだろうね、梅安さん……」

「わからぬなあ」

「起りは、どんな連中なのかねえ?」

「わからぬ……」

「いずれにしろ、起りのほうでは、佐川久馬と金子文蔵の隠れ家を知っていたのだ。いつも、あの二人を見張っていたのかも知れねえ」

「私たちも、見られたかな。ふ、ふふ……」

「とにかく、こんなことは、はじめてだ」

「ま、いい。京へもどって五十両を白子屋の元締へ返し、すぐにも江戸へ帰ろうよ」

「それがいい、それがいいよ」

「そうときまったら、久しぶりに鍼医者にもどって、まともな金を稼ぎたくなってきた」

「おれもさ」

彦次郎は、浅草も外《はず》れの塩入土手《しおいりどて》に近い一軒家で、楊子つくりを表向きの稼業にしている。彦次郎がつくる〔ふさ楊子〕は、金龍山《きんりゅうざん》・浅草寺《せんそうじ》の参道にある卯《う》の木屋《きや》という楊子店にとって、

「なくてはならぬ」

ほどのものだ。

いま、彦次郎が江戸にいないので、卯の木屋では、

(きっと、困っているにちげえねえ)

のである。

この夜は大津に泊った二人は、翌日の昼前には京都へ入り、祇園町の〔井筒〕にいる白子屋菊右衛門をたずねた。

梅安が、まだ何もいい出さぬうちに、

「さすがは、梅安先生じゃ」

菊右衛門が驚嘆の目をみはり、

「いやどうも、恐れ入った。それにしても、ずいぶんとまた早かったのう」

と、いい出したものである。

これは、金子又蔵の死が、早くも白子屋菊右衛門の耳へ入っていたことを意味する。

とすれば、目川村には依頼主の見張りの眼が光ってい、又蔵の死を確認し、そして又蔵が、梅安と彦次郎の、

(手にかかった……)

ものと、誤認してしまったらしい。

「さ、これは残り半金じゃ。うけとって下され」

と、菊右衛門が金五十両を梅安の前へ置いた。

とっさに梅安、ことばが出なかった。

彦次郎は下を向き、にやにやしている。

すると……。

なんとおもったか藤枝梅安が、

「たしかに」

残金五十両をとりあげ、ふところへ、しまいこんだではないか……。

彦次郎はおどろいた。

(梅安さん。そいつは、お前さんにも似合わねえことだ。なぜ、本当のことをいわねえ。仕掛人の名が廃《すた》ってもいいのかえ)

そういいたげに、梅安の顔を見やったが、梅安の表情は能面のごとくうごかなかった。

梅安は、白子屋菊右衛門に、こういった。

「元締にたのまれた、あの夜のうちに私どもは目川村へ飛び、金子又蔵に毒をもったのですよ。その細工は、ちょいとめんどうでしたがね。と申すのは、それ、又蔵だけを殺し、佐川久馬は生かしておかねばならぬのですから、毒のもり方が、なかなかにむずかしくて……まあ、私も、このように早く事がすんで、われながら、おどろいている」

梅安と彦次郎は、すぐに〔井筒〕を辞去し、五条橋東詰の玉水屋へもどると、すぐさま旅立ちの仕度にかかった。

彦次郎は、先刻から沈黙しつづけている。

藤枝梅安は白の手甲《てっこう》をはめつつ、彦次郎を横眼でながめ、

「彦さん。今度の百両は、私たちがもらっておいてもよいような気がする」

と、それだけいった。

彦次郎が梅安を凝視し、ややあって、口もとをゆるませ、

「お前さんが、それほどにいいなさるのなら、まかせようよ」

と、応《こた》えた。

この夜。

旅立ちの時刻にしては遅すぎたが、二人は間もなく、京都をはなれたのである。

梅安と彦次郎は、京から三里の大津へ泊った。旅籠は〔かぎや伝兵衛〕方である。

六

それは、五ツ（午後八時）ごろであったろうか……。

梅安は〔かぎや〕の奥庭に近い厠《かわや》へ入り、用を足していた。

用を足し、しゃがみこんだ腰をあげたとき、厠の前の渡り廊下へ来かかる男たちの声がした。

おそく着いた旅人が、風呂場から出て来たものらしかった。

「金子又蔵が死んだからには、もう、こっちのものだ」

という声をきいて梅安は、また、しゃがみこんだ。

男たちが、遠去かって行った。

梅安は厠から渡り廊下へ出て、三人の侍が突き当りの部屋へ入って行くのを見とどけた。

梅安が二階の部屋へもどって来て、まだ酒をのんでいる彦次郎に、

「彦さん。おもしろいことになってきたよ」

「なんだね?」

「いま、下の廊下でね……」

「ふむ、ふむ……」

そして、それから間もなく、彦次郎は、三人の侍が酒をのんでいる部屋の床下へ、もぐりこんでいたのである。

侍たちが語り合う声を、ぬすみ聞きながら、彦次郎は一刻(二時間)ほど、床下にひそんでいた。

それから彦次郎は、もう一度、風呂場へ行って躰を暖め、梅安がいる部屋へもどって来た。梅安が酒の燗《かん》にかかりながら、御苦労さん、といった。

「おどろいたよ、梅安さん」

「どんなぐあいだったね」

「あの、佐川久馬というこどもは、若殿さまのお小姓だったらしいや」

「どこの若殿さま?」

「そいつがよくわからねえ。どこのでも、おれたちにとっちゃあ同じことだろう」

「ま、そういうわけだ。それで？」

「若殿さまが、久馬に、何か妙ないたずらをしようとしたら、久馬がはねつけたんだそうだよ」

「ほう……」

そうしたら、その若殿さまとやらが激怒して、久馬を罰した。

どんな罰をあたえたかというと、

「それがひどいのだよ、梅安さん」

若殿は、家来たちに佐川久馬を押えつけさせ、久馬の顔へ、糞便をぬりつけさせたというのだ。

「若殿も、こどもではない。あのようなまねをなさらねば、久馬ひとりに多勢の大の男が大さわぎすることもなかったのだ」

と、侍の一人がいうのを、彦次郎は床下できいた。

「梅安さん。それからが、おもしろいのだよ」

「ふうん……」

そのときは、佐川久馬も屈辱《くつじょく》にあまんじたわけだが、なんと、この十五歳の少年のおとなしやかな風貌の底には、実に激しいものがひそんでいたのである。

半月ほどを経た或夜《あるよ》のことであったが……。

この日。宿直番《とのい》(夜勤)だった久馬は、夜ふけて若殿の寝間へ潜入して、短刀をもって若殿を刺殺し、その場から城外へ逃走したらしい。

「なるほど。これは大変なことだな」

「どこの大名の若殿なのかねえ」

「それで、久馬の家族は?」

「みんな、死んじまったらしい。自害《じがい》だとさ」

「では、久馬の決心を知って、こころ残りのないようにと……」

「そうらしい、そうらしいよ」

いずれにせよ、主家を相手に敢然と男の恨みをはらした少年の佐川久馬なのだ。

三人の侍の会話をつなぎ合わせると、およそ、こうしたことがわかったのである。

金子又蔵は、おそらく、同じ大名につかえていた男に相違ない。

愛する久馬の意気地《いくじ》を立てさせ、これを助けて自分も脱藩し、最後まで久馬をまもり、主家がさし向けて来る刺客と闘いぬいて来たことになる。

どこの大名家か知らぬが、若殿殺しの犯人を捕えるにも、これは表向きにできぬことだ。

若殿が久馬にした所業は、あまりにも愚劣をきわめている。世の人びとがこれをきいたら、だれしも久馬の男らしさをほめたたえるにちがいない。

だからといって、他国へ逃げた久馬と又蔵を、その大名がほうり捨てのままにしてはおけぬ。

そこで、ひそかに、何度も刺客がさし向けられ、そのたびに金子又蔵の剛剣の餌食《えじき》となってしまった。

あぐねきって、どこからか手をまわし、白子屋菊右衛門を通じ、

「私たちのような仕掛人の手を借りなくてはならぬことになったわけか……ふ。ばかばかしい」

と、藤枝梅安が吐き捨てるようにいった。

金子又蔵さえ死んでしまえば、佐川久馬を捕えることも容易である。

おそらく、三人の侍たちは、

「久馬を相なるべくは引っ捕えてまいれ。なれど、手にあまらば斬れ」

との、命令をうけているにちがいない。

「それにしても、だ。久馬は、隠れ家を嗅《か》ぎつけられていることを知らないらしいねえ」

「そうらしいよ。いままでは、あの豪傑が生きていたので、手が出なかったのだろう。だらしのねえことさ」

「やはり、金百両をもらっておいてよかったろう」

「梅安さんの勘《かん》ばたらきには、あきれるほかはねえ」

「白子屋の元締は、御家《おいえ》に仇《あだ》なす極悪人《ごくあくにん》を成敗《せいばい》するのだ、なぞといわれて、それを鵜呑《うの》みにしてしまったのだなあ」

「どんなすじから白子屋へたのみに来たのかね？」

「おそらく、その大名の、大坂にある蔵屋敷にでもつめている家来がたのみに来たのだろう。白子屋は、そっちのほうにも顔がひろいからね」

「ところで梅安さん……」

「何だね……あ、いや、お前さんのいわんとすることはわかったよ」

「先ず、のもうか」

「ゆっくりとやりながら、相談をしよう。おや……？」

「え……？」

「雨が叩いて来た……秋時雨《あきしぐれ》というやつだね」

「なんだか、さびしいねえ」

「秋も深まるにつれて、嫌になるね」

「ところで……あの久馬さんは、三人の侍に、おとなしく捕まって、国もとへ帰って行くだろうかね？」

「いいや、どこまでも刃向うだろうよ」

「すると、つまるところ、久馬さんは斬り殺される……」

「だろうね」

七

八ツ（午前二時）ごろに……。

藤枝梅安と彦次郎は、三人の侍がねむっている階下の奥座敷へ忍びこんだ。

侍三人。酒に酔って、ぐっすりとねむりこんでいる。

その、まくらもとへ、梅安と彦次郎がしゃがみこんだ。

彦次郎は、そこに置いてある水差しを取り、盆の中へ水を入れた。

そして、用意の半紙を盆の水へ漬けた。

梅安は、たもとから革でこしらえた指輪を出して右手の親指へはめこみ、左手でたもとをさぐり、殺し針を出して唇《くち》にくわえた。

（よし!!）

とでもいうように、梅安が彦次郎へうなずいて見せた。

彦次郎は、水にぬれた半紙をとって、これを左端に寝ている侍の顔へぴたり、とかぶせた。

同時に……。

梅安の〔殺し針〕が、その侍の心ノ臓へ刺しこまれている。

ぴくりと、うごいたきりであった。
呻きもせずに、その侍は即死している。
二つ目の〔殺し針〕が、梅安の唇にくわえられた。
梅安が、うなずく。
二枚目の、水にぬらした紙を、彦次郎が真中にねむっている侍の顔へ貼りつけた。
梅安の唇からはなれた殺し針が、二人目の侍の心ノ臓へ埋めこまれた。
ひくひくと、わずかに痙攣《けいれん》し、二人目も息絶えた。
最後の一人が、
「うーん……」
何やらうなり声をあげ、寝返りをうった。
梅安と彦次郎は音もなく部屋の片隅へ身をひき、最後の餌食を見まもった。
そやつは、仰向けから横寝になって、また、いびきをかきはじめた。
梅安と彦次郎が、最後の一人のまくらもとへもどった。
三つ目の殺し針が、梅安の唇にくわえられた。
彦次郎が盆の水へ半紙を漬け、これを両手に取った。
梅安が、うなずいた。
うなずくと同時に、左手で侍の肩をつかみ、仰向けにさせた。

「う……」

侍が、目ざめかけたその顔へ、彦次郎がぬれ紙を貼った。

おおいをかけた行燈《あんどん》の灯影《ほかげ》に、きらりと殺し針が光った。

声もなく、最後の一人が死んだ。

朝になって、三人の侍の死体を、旅籠の女中が発見したとき、梅安と彦次郎は早くも、草津の宿場町を駆けぬけていたのである。

梅安は、旅籠の泊り賃のほかに、たっぷりと〔こころづけ〕をそえ、部屋の床の間へ置いてきていた。

空は、どんよりと曇ってい、冷えこみが強《きつ》い朝だ。

たがいにものもいわず、一気に草津を駆けぬけた二人は、目川村へ向っている。

菜飯田楽の〔伊勢屋〕の前へ、二人が立ったとき、伊勢屋の表戸は閉まっていた。

「彦さんは、此処にいておくれ」

といい、梅安が裏手へまわり、勝手口の戸を開けた。

「もし……御主人はおいでかね？」

小女《こおんな》が、すぐに、あるじを呼んで来た。

「あ……大津の大村杏庵先生ではございませぬか」

「さよう。亡くなった人は、土の中へ入ったかね？」

「はい、はい」

「あの人は、この目川の村と、どんなかかわり合いがあるのかね？」

一瞬、伊勢屋のあるじの顔に警戒の色がうかんだが、梅安の態度を見て、それは杞憂《きゆう》と知ったのであろう。すぐに、

「あのお人の母ごは、この目川の生まれでございまして……」

と、それだけいった。

梅安は、うなずいた。

金子又蔵は、もしやすると妾腹の子なのであろう。又蔵の母は、金子家へ奉公にあがり、又蔵の父の手がついて、又蔵を生んだのではないか……そして、他に男子がなかったので、又蔵が家をついだものか……。

「佐川久馬さんは、まだ、あの百姓家に？」

「はい。それが、何か……？」

「いや、別に……」

いいさして藤枝梅安は、ふところから用意のものを出した。

一通の手紙と、それに金五十両が入った胴巻であった。

「これをね、久馬さんへわたしておくれ」

「先生は、これからどちらへ？」

「江戸へ、急用が出来てね。だから、これを、たのみましたよ」

「は、はい……」

わけはわからぬながらも、梅安の有無《うむ》をいわせぬ態度に、伊勢屋のあるじは気圧《けお》された感じで、胴巻と手紙をうけ取った。

「では、これで……」

梅安は、街道に待っている彦次郎の傍へもどって来て、

「すんだよ」

と、いい、塗笠をかぶりながら歩き出した。

梅安が、佐川久馬へあてた手紙は、つぎのようなものである。


一時も早く、立ち退《の》かれたがよろし。その隠れ家は、相手方に知れてあるゆえ、あぶない、あぶない。胴巻の金子《きんす》、いかようにもおつかいなされ。

大村杏庵

佐川久馬殿

藤枝梅安と彦次郎は、まるで、飛ぶように街道をすすんでいる。

夜に入るまでに、鈴鹿峠《すずかとうげ》を越えてしまおうというのだ。

「彦さん。どこからか、菊のにおいがただよってくるね」

「梅安さんの鼻は、よく利《き》くねえ」

「なんだか、急に、江戸が恋しくなってきたようだ」

「おれもさ。だが、あの久馬さんは、これから、どうするのだろうねえ」

「わからないな」

「また、刺客が、久馬さんをねらうのだろうね？」

「そうなるだろう」

歩調を、いささかもゆるめずに街道を行く梅安が、肩をならべている彦次郎へ、こういった。

「何にせよ、私たちが佐川久馬にしてやれたのは、あれだけのことさ。それから先は、私たちが立ち入っても仕方がない世界だ。後のことは知らない、知らない」

梅安晦日《みそか》蕎麦《そば》

一

灰色の師走《しわす》の空が冷え冷えと、おもく沈んで、

(いまにも、白いものが落ちて来そうな……)

朝であった。

昨日、藤枝梅安と共に江戸へ帰り着いた彦次郎は、

「今夜は、私の家へ泊らないか……」

と、さそってくれた梅安へ、

「だれが待っているでもねえ荒《あば》ら屋《や》だが、こうして江戸の土を踏んで見ると、ちょいとなつかしくもなってきてね、梅安さん」

こういって、浅草も外《はず》れの塩入《しおいり》土手《どて》に沿った木立の中の小さな家へ帰って来たのである。

この家は、近くの総泉寺《そうせんじ》の畑仕事をしていた百姓が、もとは住んでいたのを、彦次郎が借りうけたものだ。

裏へまわると、藤枝梅安同様に、

「金ずくで、人を殺す」

仕掛人《しかけにん》の彦次郎だが、この家に住み暮しているときの、表向きの稼業は楊子《ようじ》つくりの職人であった。彦次郎がつくる歯をみがくための〔ふさ楊子〕と〔平《ひら》楊子〕は、浅草観音の参道にある卯《う》の木屋《きや》で売られていて、評判がよい。

(今朝から、梅安さんも鍼《はり》医者にもどっていなさるだろう)

苦笑をうかべつつ、彦次郎は鰹節《かつおぶし》を削《けず》っている。帰って来たばかりなので、実も入らぬ雑炊《おじや》をこしらえ、朝飯にするつもりであった。

上方《かみがた》から帰った梅安と彦次郎のふところには、十両ほどの金が残されてい、

「まあ、この金で、おとなしく年を越そうではないか、彦さん」

と、梅安がいえば、

「そうだね。この躰から血の匂いが消えるまで、当分は表芸《おもてげい》で稼《かせ》ごうよ」

彦次郎も、そうこたえている。

火の気もない家の中で、彦次郎は熱い雑炊をうまそうに食べはじめた。残っていた醤油をうす味につかい、むしろ、鰹節《おかか》の味や香りのほうが濃厚に舌へあたる。この雑炊は彦次郎の

大好物なのだ。

楊子つくりの道具にも、畳にも、台所の竃《かまど》にも、約半年の間の埃《ほこり》がつもったままで、

（さて、二、三日はいそがしいぞ。だが、その前に……）

先ず、彦次郎は亡くなった女房・おひろの墓へ詣《もう》でて、

「お前の敵《かたき》を討ってやったよ」

と、告げたかった。

ふとしたことから、藤枝梅安と共に、おひろをなぶりものにし、それがために、わが女房と幼ないむすめを死に至らしめた無頼浪人・井坂惣市を京都郊外・山端《やまばな》において殺すことを得た彦次郎の感慨《かんがい》は、余人のあずかり知らぬことでもあるし、また、わかりもせぬことであった。

女房とむすめの墓は、武蔵国・荏原《えばら》郡・馬込《まごめ》村（現・東京都大田区南馬込）の万福寺《まんぷくじ》にある。

彦次郎は、楊子つくりの職人として、墓参りを絶やさなかった。

（もうじき、おれは四十三になる……）

よく、これまで生きていられたものだと、つくづくおもう。

金ずくで、人を暗殺する仕掛人という暗い稼業へ彦次郎が踏みこんで行ったのも、女房・子の非《ひ》業《ごう》な最期が原因だったと、いえぬこともない。

世の中には、生きていてもらっては世の中のためにならぬ人間どもが〔法〕の網の目から

こぼれ、ぬくぬくと生きている。

本格の仕掛人は、そうした連中のみを目ざして殺しをおこなうのがたてまえであった。

(さて……)

女房と子の墓参りをしたら、家の大掃除をし、米や味噌も買いととのえ、橋場のなじみの豆腐屋へも、

「帰って来たよ。これから毎朝、以前のとおりにとどけておくんなさい」

と、告げに行かねばならぬ。

長い間、独りきりの暮しをつづけている彦次郎は、こうしたことが、すこしも苦にならぬ。

それよりも、いまは、

(おれの暮しが、もどってきた……)

ことに、彦次郎は胸がときめくようなおもいであった。

しばらくは、食べて寝て、楊子をつくって、

(血なまぐさいことを、忘れていよう)

と、考えている。

雑炊を食べ終え、彦次郎は、筒袖《つつそで》の地味な袷《あわせ》を痩《や》せた躰《からだ》に着こみ、きっちりと角帯《かくおび》をしめた。

「ごめんなせえ、彦次郎さんはおいでなさいますか?」

戸口で、声がした。

「どなた?」

「田中屋の、使いの者です」

「戸は開いていますよ。お入んなさい」

「ごめんなすって……」

入って来たのは、三十五、六に見える男で、でっぷりと肥《ふと》っていた。

「これを、ごらんになって下さい」

男は、手紙を彦次郎へわたした。

筆跡は、まぎれもなく、田中屋久兵衛《きゅうべえ》のものである。

(こいつは……)

と、まだ手紙の封も切らぬうちに、彦次郎は直感した。

(こいつは、殺しのたのみにちげえねえ)

のである。

眉《まゆ》を、微《かす》かにひそめながら、手紙の封を切った。

手紙の内容は、簡単なものであって、たのみごとがあるから、今日の八ツ(午後二時)に、今戸《いまど》の料理屋〔玉屋〕へ来てもらいたい、というのであった。

田中屋久兵衛は、彦次郎が半年も、江戸を留守にしていたことを知らない。

二

浅草・今戸の料亭〔玉屋〕は、蜆汁《しじみ》を売りものにしているが、彦次郎は、その近くの三好屋の蜆汁のほうが好きである。

彦次郎の家からも、玉屋は近い。

今日の墓参りは、やめることにした。

田中屋久兵衛の呼び出しとあっては、不在にしていたならともかく、使いの者から手紙を受けとった以上、

(気はすすまねえが……)

行かなくてはならぬ。

田中屋久兵衛は、神田・三河町《みかわちよう》一丁目で〔人入れ稼業〕をしている。

つまり、諸大名や大身《たいしん》旗本の屋敷が雇い入れる中間《ちゆうげん》・小者《こもの》を周旋《しゆうせん》する稼業で、幕府や大名が諸工事に使う人夫《にんぷ》も周旋する。

三河町には、むかしから、田中屋のほかに四軒ほどの〔人入れ稼業〕があり、これを〔請負宿《うけおいやど》〕ともよぶ。むかしから三河町の請負宿であつかう人夫や中間・小者は、もっとも巾《はば》がきいたものだそうで、しかるべき大名家では、代々《だいだい》、三河町の請負宿から人を雇い入れる。

田中屋久兵衛は五代目の元締《もとじめ》で、彦次郎と同年配の四十男だが、老《ふ》けて見える彦次郎とは反対に、精力的で若々しい。

なんといっても諸大名の屋敷へ長く出入りをし、その内情にも通じているだけに、彦次郎ほどの男でさえ、

「うかがい知れぬ……」

暗黒の裏面を、田中屋久兵衛はもっている。

香具師《やし》の元締などとは、或る意味において、くらべものにならぬところがある。

約束の刻限に、彦次郎は今戸の玉屋へ出向いて行った。

「しばらく会わねえうちに彦さん、すこし肥ったな」

二階の奥座敷に待っていた田中屋久兵衛が、そういった。

彦次郎は「さようですか……」といったきり、旅に出ていたことを別にいわなかった。

酒が来て、座敷女中が去ると、

「わざわざ、出て来てもらったのは、ほかでもねえが……」

いいさした久兵衛へ、彦次郎が、

「仕掛けのことでござんしょうね」

「察しのとおりだ。年も押しつまって、忙《せわ》しいおもいをさせてすまねえが、起《おこ》りの方《ほう》で急いでいるのだ」

と、いった。

〔起り〕というのは、田中屋久兵衛へ、金を積んで、殺しを依頼して来た、その依頼主をさす隠語《いんご》である。

そして〔起り〕の依頼をうけて、しかるべき仕掛人をえらび、これに殺しを請負わせる田中屋久兵衛が、

〔蔓《つる》〕

と、いうことになる。

「しばらく、やすみたいのだが……元締にたのまれては、どうも仕方がありません」

彦次郎は苦笑をうかべ、

「あのときのお返しを、私は、まだ、していねえし……」

「恩に着せているのではねえ。お前でなければならねえ仕掛けだから、こうしてたのむのだ」

二年ほど前に彦次郎は、久兵衛から或る仕掛けを引きうけ、半金の二十五両をもらっておきながら、急病に倒れ、仕掛けることができなくなり、久兵衛は別の仕掛人にたのんだ。

そのとき、久兵衛は前金の二十五両を返せとはいわず、

「おれからの見舞いだ。取っておいてくれ」

と、気前《きまえ》を見せたものである。

事実、その二十五両で彦次郎は助かった。ふところに金が無くて重い病気にかかったら、たまったものではない。

「では、引きうけてくれるのだね？」

いつもは、えもいわれぬ愛嬌《あいきょう》をたたえている久兵衛の両眼が、きらりと光り、袱紗《ふくさ》に包んだ二十五両の小判を彦次郎の前へ置いた。前金である。

「いえ、これは、あのとき借りていますから……今度は後金《あとがね》だけで結構ですよ、元締」

「何をいっているのだ。あのときのは、おれの見舞い金だといった筈《はず》だよ」

「へえ……」

「さ、取っておきねえ」

〔蔓〕から、いささかでも恩恵《おんけい》をうけてしまうと、そのために、気がすすまない仕掛けをしなくてはならぬこともある。本格の仕掛人にとっては、だから「恩に着るようなまねをしてはいけねえ」のが、心構えの一つなのである。

だが、彦次郎は、強くすすめられて半金二十五両を受け取った。

彦次郎ほどの男がそうしたことだから、田中屋久兵衛を、それだけ信用していることになる。

「元締。いうまでもねえことですが……」

「おう、何だね？」

「相手は、殺《や》ってもいいような奴なのでしょうね？」

「いうまでもねえことだ。おれがすることだよ」

「ですが、これは仕掛人の念押しというものでござんすからね」

「わかっているとも」

それから夕暮れまで、二人は玉屋の奥座敷で、語り合っていた。

迎えの駕籠が来て、座敷を出て行くとき、田中屋久兵衛がこういった。

「相手は手強《てごわ》い奴だ。じゅうぶんに念を入れてやっておくれ」

「急ぐのではなかったので？」

「そりゃあ、急ぐ。なればこそ、こうして、お前にやってもらうのだ。起りは急いでいる。年内に殺《や》ってもらいたいのだよ。いいかえ。ほかに、手がいるなら、しっかりしたのを一人や二人は……」

「いえ、結構です。私がひとりでやりますよ」

「じゃあ、たのんだよ」

「ごめんなさいまし」

三

翌朝早くから、彦次郎は家を出た。

この日も、昨日と同様の空模様であったが、まだ、雪は落ちてこない。

彦次郎は先ず、馬込村の万福寺へおもむき、墓参りをすませ、それから江戸へ引き返したが、夕暮れ近くになってから、品川台町の藤枝梅安宅を訪《おとず》れた。

梅安は居間で、治療用の鍼《はり》の手入れをしていた。

「このあたりの連中が、私を待ちかまえていてね。いや、昨日から煙草を吸うひまもないほど治療をしつづけ、すっかりまいってしまった。半年もやらぬと、私ほどの名人でも勘《かん》が狂うよ。ふ、ふふ……」

「梅安さん。酒を買って来たよ」

「それは、すまないねえ。もうじきに終る。そこの炬燵《こたつ》へ入っていてくれぬか」

「いや、酒の仕度をしよう」

「そうかえ。では、やってもらおうかね。ついでに、そうだ。彦さんなら大丈夫だろうから、ひとつね、うす味の出汁《だし》をたっぷりと、とってくれぬか」

「何をするんだね？」

「大根を煮ながら食おう。そのつもりでね」

台所へ入って見た彦次郎が、

「こいつは豪勢《ごうせい》な。昆布から味醂《みりん》まである」

台所で、器用にはたらき出した彦次郎へ、梅安が居間から、

「今日は、何処《どこ》へ行って来たね？」

「女房・子の墓参りに、ね……」

「それはよかった。それから何処へ？」

「ちょいと、ね……」

「彦さん。帰る早々《そうそう》、裏の稼業がいそがしくなったようだね」

「おれの顔に書いてあるかえ、梅安さん」

「私には、そう読めたよ」

「三河町の田中屋の元締が、蔓なのだよ」

彦次郎は隠さずにいった。この半年、共に旅をつづけて来て、

(梅安さんには、何をはなしたっていい)

おもいきわめている彦次郎であった。

「で、相手は？」

「浪人さ。年のころは、三十がらみで、先刻、物蔭からちらりと見てきたがね。まるで海坊

主のような大男で、毛むくじゃらな……まるで、大泥棒の石川五右衛門みてえな物凄《ものすご》い面がまえだったよ」

「ほほう……」

「この夏ごろまでは、二千石の旗本で、浜町《はまちょう》に屋敷がある嶋田《しまだ》大学《だいがく》という殿さんの家来だったそうな。それだけ、田中屋の元締が洩《も》らしてくれた」

「ふうん……田中屋久兵衛は、その嶋田屋敷へ出入りをしているのだろうね。おそらくそうだろう」

「まあ、そんなところだろうよ」

「ところで、うまくいけそうかね？」

「もうすこし、さぐって見ねえと……」

「その浪人は、独りなのかね？」

「うむ。芝の白金《しろかね》の、樹木谷《じゅもくだに》の一軒家に住んでいてね」

「それなら、此処《ここ》からも遠くはない」

「だから帰りに寄ったのさ。それにしても、あの辺は妙に、うす気味が悪いところだねえ、梅安さん」

「樹木谷はね、むかし地獄谷とよばれて、罪人の首斬り場だったということさ」

「へへえ、はじめてきいた。どうりで……」

あとは彦次郎、声をのんだ。

とっぷりと暮れてから、梅安と彦次郎は、居間の長火鉢《ながひばち》へ土鍋《どなべ》をかけ、これに出汁を張った。笊《ざる》に、大根を千六本に刻《きざ》んだのを山盛りにし、別の笊には浅蜊《あさり》の剝《む》き身《み》が入っている。

鍋の出汁が煮えてくると、梅安は大根の千六本を手づかみで入れ、浅蜊も入れた。刻んだ大根は、すぐさま煮えあがる。それを浅蜊とともに引きあげて小皿へとり、七色蕃椒《なないろとうがらし》を振って、二人とも、汁といっしょにふうふういいながら口へはこんだ。

「うめえね、梅安さん」

「冬が来ると、こいつ、いいものだよ」

酒は、茶わんでのむ。

「ときに、彦さん……」

「え？」

「今度の仕掛けは、どういう……？」

「蔓が田中屋の元締だけに、くわしくはきかなかったが……相手の、あの凄え面がまえを見たら、あいつ、やっぱり、主人の殿さんにも、他の人たちにも、いろいろと迷惑をかけているのじゃあねえかな。殿さんも困ったが、そこは梅安さん、なんといっても二千石の旗本だ。いろいろとその、表向きにはできねえこともあって、そっと、あの物凄い野郎を片づけてしめえてえのだろうよ」

「なるほどねえ」

「ああ、ずいぶんとのんだ」

「飯にするかえ？」

「ああ、そうしよう」

「今夜は、泊っておゆき」

「そうさせてもらいてえね」

それから二人は、炊《た》きたての飯へ、大根と浅蜊の汁をたっぷりとかけ、さらさらと掻《か》きこむようにして食べた。

香の物も大根である。

「彦さん……」

「え……？」

箸をとめて藤枝梅安が、

「とうとう、白いものが落ちて来たようだね」

と、いった。

いつもながら、するどい感性《かんせい》ではある。

四

翌朝もおそくなって、彦次郎は帰って行った。

昨夜ふり出した雪は、夜のうちに熄《や》み、ほとんど積もっていない。

うす陽《び》が射してきている。

彦次郎が、まだ帰らぬうちに、近辺の人びとが梅安の治療をうけにやって来た。

このあたりでは、梅安の鍼の効能は評判のもので、しかも治療代が安い。

梅安は、忙《いそ》がしくはたらき、八ツ（午後二時）ごろ、遅い昼飯をすませた。その後片づけを終え、手伝いのおせき婆さんが帰って間もなく、

「ごめん下さいまし」

しわがれた老人の声が、玄関できこえた。

「だれだね？」

梅安が出て行くと、玄関の土間に、小さな老爺《ろうや》がひとり立ち、ていねいに白髪《しらが》あたまを下げた。

梅安は、一目《ひとめ》で、何処《どこ》かの寺の下僕と、見た。

「お前さん、どこか悪いのかね？」

「いえいえ、私ではございません」

「ふうむ……で、患者は？」

「先生の鍼のことを耳にしたものでございますから、ぜひとも、お越しねがいたいと、和尚さまが申しておられますので……」

「どこの寺だね？」

「白金の奥の、常在寺《じょうざいじ》という……」

「ふむ。患者が此処《ここ》へ来られないかね？」

「身うごきが、あの、できませんので……」

「どこが悪い？」

「どこもかしこも……あの、いろいろと……」

老僕の眼が「もう何も、きかないで下さいまし」と、梅安にうったえているかのようだ。

何やら、事情があるらしい。

「よし、よし。ちょっと待っていなさい」

「ありがとうございます、かたじけのうございます」

「そう礼をいわぬでもよい。私も商売だからね」

すぐに、梅安は仕度をととのえ、戸締りをして外へ出た。治療の鍼などが入った箱を、老僕が持った。

常在寺は、白金から目黒へ通ずる往還を、白金台町三丁目と四丁目の境の道を西へ切れこみ、さらに右へ、曲がりくねった細道をたどった突き当りにあった。

竹藪《たけやぶ》を背負った、小さな寺である。

その細道へ曲がりかけて、藤枝梅安は急に立ちどまり、振り返って見た。

（まだ、後をつけて来ている……）

であった。

品川台町の家を出たときから、梅安は、この尾行者に気づいていた。人を尾行することになれていないらしく、とうてい梅安のするどい眼と感覚を晦《くら》ますことはできなかった。

巨漢《きょかん》である。顔は編笠に隠れていて見えない。袴《はかま》をつけ、きちんとした身なりなのだが、浪人であることに間ちがいはない。

梅安が振り向いたとき、その編笠の浪人は、京極長門守《きょうごくながとのかみ》下屋敷の土塀《どべい》に背をつけ、佇《たたず》んでいた。

梅安は、緊張した。

これまで、わが手にかけた男や女は、何人だったろうか……。

それこそ、どこのだれに、恨みをうけていることか、

（知れたものではない……）

のである。それは彦次郎にしても同様なのだ。

ふと、気がつくと、先に立つ老僕の顔に、かすかながら狼狽《ろうばい》の色がうかんでいるではないか。

ちらりと、老僕の視線が、彼方《かなた》の浪人へ走ったのを、梅安は見のがさなかった。

（この爺《じい》さんは、あの浪人を知っているらしい……と、いうことは、あの浪人と常在寺と、何か関《かか》わり合いがあると見てよい。すると、これから私が治療をする病人というのも、あの浪人と……？）

であった。

そうした思念が梅安の脳裡《のうり》にうかんだのも、一瞬のことであった。

「さ、案内を……」

老僕に声をかけ、さり気なく梅安は、道を曲がって行った。

わら屋根の門を入ると、鐘楼《しょうろう》も、本堂も庫裡《くり》もわら屋根で、いかにも鄙《ひな》びた常在寺の佇まいであった。

白金も、このあたりへ来ると田園そのままの風景である。

常在寺は、寛永年間の創立というから、江戸でも古い寺だ。

病人は、本堂内の裏側の、暗い一間に寝かされていた。若い女である。その病間まで、老僕と壮年の僧がつきそって来た。

暗い部屋だが、よく暖められていて、薬湯の匂いがこもっている。

女の躰を診察して見て、あきれたように藤枝梅安が、

「これは……いったい、どうして、こうなるまで、放っておかれたのだ？」

と、僧にいった。

僧は、うなずいてから、老僕と顔を見合わせたが、だまっている。

「これは、ひどい」

肌は、ぬけるように白いのだが、一口《ひとくち》にいえば、

(骨と皮ばかりに、痩せおとろえている)

のである。

ふくらみを失なった乳房のあたりに、点々と痣《あざ》のようなものが浮いてい、腹や腰が打撲傷《うちみ》をうけている。この寺で膏薬《こうやく》をぬったり、薬湯をのませたりしたものの、そんな素人療法《しろうとりょうほう》では、どうなるものでない。

では、これまで何故《なぜ》、医者を呼ばなかったのか……。

そこに何やら、深い事情がひそんでいるらしい。

内臓も、方々《ほうぼう》が傷《いた》んでいる。心身の苦痛がなみなみのものではなかったと見える。

女は、濃い眉《まゆ》を寄せ、細い鼻すじを微《かす》かにふるわせつつ、しっかりと両眼を閉じ、梅安の「ここは痛むかな……ここは？」など問いかけるのへ、うなずいたり、わずかにかぶりを振るだけで、肌身の諸方を梅安の肉の厚い掌《て》が押したり、さすったりするたびに、血の気の引

いた唇から嘆息をもらしたり、苦痛の呻《うめ》きを発したりした。

「とりあえず……」

いいさして梅安は、鍼の仕度をし、治療にかかった。

かなりの時間がかかり、梅安の張り出した額《ひたい》には、じっとりと汗が光っている。

「ほう……」

梅安の背後で、歎声がきこえた。

治療が終ったとき、病人の女が安らかな寝息をたてているのを見たからであろう。

振りむくと、いつの間にか老僕と壮年の僧の姿がなく、かわりに、白いひげを胸もとまで垂らした老僧が、ちょこなんとすわっていた。

これが、常在寺の善達和尚《ぜんたつおしょう》であった。

「先生。かたじけのうござる」

と、和尚が丁重《ていちょう》に礼をのべた。

「私のことを、だれに、おききになりましたかな?」

と、梅安。

「相福寺《そうふくじ》の和尚に、な……」

「なるほど」

相福寺は、梅安宅からも近く、そこの老和尚は躰のぐあいが悪くなると、他の医者を見向きもせず、ひたすらに梅安の鍼をたのむ。

「相福寺できいた先生の評判、そのお人柄なればとおもい、こうして、おもいきって来ていただいたのじゃ」

「おもいきって……？」

「さよう」

梅安の不審を、いささかもたじろがずに受けとめた善達和尚は、しかし、それ以上のことを語り出そうともせぬ。

秘密の匂いは、いよいよ濃厚となったが、もとより梅安にとっては関知することではない。傷みつくした若い女の治療をするだけのことだ。

だが、梅安は病間を出るとき、老和尚にこういった。

「このことは、だれにも、他言はしませぬ」

すると、深くうなずいた善達和尚が両手を合わせ、梅安を拝むかたちになったものである。

和尚と老僕に見送られて、梅安が常在寺の門へ向うとき、鐘楼の蔭に、ちらりと編笠がのぞいた。

(あの浪人……まだ、おれを見張っている……)

のである。

梅安は、何くわぬ顔で門を出て、細道を行き、右へ曲がった。家へ帰るのなら左へ曲がり、白金の通りへ出なくてはならないはずだ。

それを右へ曲がった。

曲がったかとおもうと、あたりに人影がないのを見すました藤枝梅安が風を巻いて疾《はし》った。

はずみをつけた梅安の大きな躰が、毛利甲斐守下屋敷の塀の上へ舞いあがったのである。

松の大樹が、枝を塀外までひろげている、その蔭へ、梅安が身を寄せ、彼方を注視した。

冬の曇り日のことで、夕闇は層倍に深く濃く、あたりにたちこめている。

と……出て来た。

梅安の後から道へ出て来た浪人は、梅安が白金の通りへ出たものとおもいこんでいるらしく、急ぎ足に去って行く。

それと見て梅安が、塀から飛び下りた。

(今度は、私が後をつける番だ)

であった。

い。

五

梅安が家へ帰るためには、白金の通りを南へ行き、瑞聖寺《ずいしょうじ》の横の道を曲がるのが最も近

編笠の浪人は通りへ出てから、梅安の姿を見失なったと気づいたらしい。

しばらく其処《そこ》に立ちどまり、あたりを見まわしていたが、さほどあわてた様子もなく、やがて踵《きびす》をめぐらし、白金の通りを北へ引き返して来た。

町家と町家との間の細道へ隠れていた梅安は、浪人をやりすごし、尾行を開始した。

もう、とっぷりと暮れている。

尾行しやすくもあり、為悪《しに》くもある。浪人は提灯《ちょうちん》を持っていないので、尚更であった。さりとて、あまり近くへ寄りすぎては気づかれてしまう。

大男の浪人は一度も振り向くことなく、白金通りを突き当って坂道を左へ折れ、覚林寺《かくりんじ》の塀外から麻布《あざぶ》の新堀《しんぼり》川へ通ずる堀川の東側を、なんと、樹木谷の方向へ行くではないか……。

(まさか……?)

と、おもったけれども、昨夜、彦次郎が今度仕掛けるという相手を、

「白金の樹木谷の一軒家に住む、海坊主のような大男……」

と、梅安に告げた言葉が、いやでも脳裡《のうり》によみがえってきた。

(まさか……？)

だが、どうやら、彦次郎がいま、さぐりをかけている相手と同じらしい。

三田・南代地町の崖下《がけした》の雑木林の中の一軒家の中へ、浪人が入って行くのを、まさに、藤枝梅安は見とどけたのである。

それは、家というよりも番人小屋のようなものであった。

浪人が小屋へ入っても、灯《あか》りがつかぬ。

梅安は木立の中を、あくまでもひそやかに、小屋へ近づいて行った。

(こいつは、いったい、どうしたことだ……？)

いくら考えてもわからぬ。

(あの大男を殺すことをたのまれたのは私じゃない。彦さんなのだ。それなのに、あの大男が何故《なぜ》、私の後をつけて来たのか？)

彦次郎が自分の様子をさぐっていることを知った大男が、

(彦さんの後をつけているのなら、はなしはわかる)

のである。

(だが、どう考えても、あの大男は、彦さんがねらっている相手にちがいない。さて、どう

したらいいか……よし。ともかく、あいつの顔を見てやろう）

しかし、見ようにも、まだ小屋の中に灯がともらぬのだ。

じりじりと、梅安は小屋へ接近した。

戸口は一つしかない。

冷たい風が木立に鳴っている。

そのとき、梅安は、だれかの声をきいたような気がした。

（おや……？）

風の絶え間に、今度は、はっきりときこえた。

声は、小屋の中からのものだったのである。

「もし、そこのお人……」

と、家の中から大男の浪人が、外に屈《かが》みこんでいる梅安へ、声をかけたのである。

梅安は、うごかぬ。

「あんたも大きな躰らしい。そこに屈みこんでいては、苦しかろう」

「…………」

「心配をなされずともよい。今日、私があんたの後をつけて行ったのは、あんたに危害をあたえるつもりではなかったのだ。どうか、無礼をゆるしてもらいたい」

低く、訥々《とつとつ》としているが、梅安の耳に、浪人の声はよくとおった。

「今日、あんたが常在寺で、治療をしてくれたむすめのために、あんたがどのようなお人か、この眼でたしかめておきたかった。それだけのことなのだ」

「それで？」

と、はじめて梅安が問い返した。

「途中、あんたを見うしなった。あんたが家へ帰るまで、見とどけたかったのだが……」

「なぜ、ね？」

「あんたが、常在寺で見たことを、だれかに告げたりされると、困るとおもって……」

「それで？」

「覚林寺の塀外で、だれかにつけられていると感じた。あんただろうとおもった」

「それで？」

「ま、入っておいでなさい。こうなれば隠しておくこともないだろう。はなしをきいてもらったほうが、あのむすめの治療をしていただくためにも、よいかも知れぬ」

「では、入りますよ」

「灯りはつけぬ。つけたくとも、その仕度をせぬのだ」

「かまいませぬよ」

藤枝梅安は、こころを決め、ぬっと立ちあがり、小屋の中へ入って行った。

この夜、梅安は小屋に泊った。

泊ったというより、空が白《しら》むまで、浪人のはなしをきいていた、といったほうがよいだろう。

酒と夜具はあったが、そのほかの物は何一つない。

夜具を二つに分け、躰を包み、茶わんの冷酒をのみながら、二人は、いろいろと語り合ったようである。

早朝、藤枝梅安は我家《わがや》へ帰って来た。

おせき婆さんが掃除にあらわれたとき、梅安は身仕度をととのえてい、

「ちょっと出て来る。二、三日は帰らぬかも知れぬ。そのつもりでな」

おせきにいい、すぐに家を出た。

札《ふだ》の辻《つじ》まで歩き、そこの駕籠屋で駕籠を出させ、こころづけをはずみ、

「急いでくれ」

まっしぐらに、浅草の外れ、塩入土手の彦次郎の家へ駆けつけて行った。

彦次郎はいた。

「いないかとおもったよ」

と、梅安が、ほっとした顔つきになり、

「よかった、よかった。彦さんがいてくれて、よかった」

「これから例の一件の、大男の様子をさぐりに行こうとおもってね」

「彦さん。お前が、一昨日、さぐりに行ったことを、あの大男の浪人は知っていたよ」

「な、な、なんだって……？」

「昨夜、会った」

「ば、梅安さんが、あいつと？」

「そうさ、それにしても凄い顔だ。まるで蟇《がま》の化け物だね。だから彦さん、面がまえで人柄を見てはいけない。あの人は、立派な人だったよ」

「ど、どうしてまた？」

「あの浪人さんの名は……ふ、ふふ。彦さんが石川五右衛門といったが、まさに、姓は石川……」

「えっ……」

「名前はね、友五郎さんという」

「いってえ、これは、どうしたわけなんだ、梅安さん」

「おどろいた。いやもう、おどろいたよ」

「じれってえな。何がどうしたというのだ？」

「ともかく先に、何か食べさしてくれぬか。朝飯も食べずに、駕籠を飛ばして来たので、すこし、気もちが悪くなった」

「じゃあ、ま、それからにしようか……」

いいつつ彦次郎も緊張しているらしい。

眼の色を変えて台所へ立って行き、味噌汁の残りを暖め、生卵《なまたまご》を二つ、小鉢へ割り入れ、大根の醬油漬と共に膳へ乗せ、

「これでいいかえ?」

「いいとも」

梅安は、飯へ生卵をかけて、たちまちに食べ終え、二杯目の飯は、味噌汁と大根の漬物で、ゆっくりと食べた。

「茶をくれぬか」

「ええもう、早く、はなしてくれたらどうなのだ」

梅安と彦次郎は、やがて、浅草・橋場の〔井筒〕へ出かけて行った。

〔井筒〕は、藤枝梅安なじみの料亭である。

いつも、梅安がつかっている茶室めいた〔離れ〕に落ちつき、二人は、酒をのみながら、夕暮れまで語り合い、それから彦次郎が、

「では、明日」

と、いって、我家へ帰って行った。

六

翌朝は、快晴であった。

梅安が目ざめたとき、同じ寝床に、もう、女はいなかった。

梅安は、半年ぶりで、井筒の座敷女中、おもんを抱いたのである。

いや、梅安が手をさしのべるまでもなく、おもんのほうで、夜ふけに離れへ忍んで来たのだ。

「もう、だめ……」

と、おもんはいった。

「この半年、先生のことばかり、おもいつめてしまって……」

「旅へ出ていたのだよ」

「そうですってね」

以前のおもんの、たっぷりと量感がみなぎっていた躰が、すっかり痩せてしまっている。

「浮気でもしたのかね？」

「できるような女なら、いいんですけれど……」

熱いためいきと共にささやいてきて、おもんが、たまりかねたように抱きついてきて、梅安の耳朶《みみたぶ》を噛んだ。

亭主に死別れ、九つになる芳太郎という男の子を、阿部川町の父親にあずけ、井筒で座敷女中をしているおもんは、三十五歳になる。

もとは、よくはたらきはしても無口で、陰気なおもんだったのだが、梅安に抱かれてからは、

「おもんさんが白粉《おしろい》の匂いをさせるようになったんだから、変ったものさ」

などと、板場で男たちがうわさをしているそうな。

寝床の中に、おもんの濃い体臭と髪油《かみあぶら》のにおいがこもっていた。

(そうだ。常在寺の女の治療をしなくてはいけない)

起きあがった梅安が、手を打っておもんをよび、

「駕籠をたのむ。白金までだ。なあに、また、すぐにやって来るよ」

と、いった。

半年前の最後に抱いたときよりも、梅安は、おもんのあたたかい肌身に、こころをひかれはじめてきている。以前の梅安は、冷めたくしめっている肌身の女を好んだものだが……。

(このごろの私は、若い女に、すこしも気をひかれなくなってしまった……)

からであろうか。

梅安が、駕籠で〔井筒〕を出たころ、彦次郎は、また、田中屋久兵衛の呼び出しをうけ、

今戸の〔玉屋〕へあらわれた。

「近くまで来たので、寄って見たのだ。どうだね、彦さん。相手の顔を見たかえ？」

「ええ、ちょいとね……」

「強そうだろう？」

「まともには、いけませんねえ」

「だから、お前にたのんだのだ。毒を盛ってくれてもいいし、何をしてもいい、そいつはお前にまかせる。お前なら、おれたちにはおもいもおよばねえ手段《てだて》があるはずだ。え、そうだろう。そうだろうが……」

「まあ、ね……」

うすく、彦次郎が笑って見せた。

その笑いを、久兵衛はたのもしげに見やって、

「たのむよ、彦さん。うまく仕とげたら、別に二十両、包んでもいいぜ」

「それはどうも……」

「で、いつごろ終るね？」

「そうですねえ……」

「嶋田様は、急いでいなさるのだ」

「ねえ、元締。こいつは、もうすこし、くわしく事情《わけ》をはなしていただかねえと、いい仕掛

けの方法があたまに浮かびませんよ。相手がこころをゆるすようなかたちで近づいて行かねえとね。なにしろ、私はひとりきりで仕掛けるのですから……あの浪人、すこしの油断もねえ。こいつは元締、私なぞよりも、あいつと同じくらいに腕のたつ仕掛人を、さし向けたほうがいいのでは……」

「二人、返り討ちになったよ」

いらだたしげに、田中屋久兵衛がいった。

「おれが手に握っている仕掛人のうち、二人とも、剣術のほうでは、だれにも負《ひ》けをとらねえはずだった。それが、やられた。だからこそ彦さん。お前の腕をたのむ気になったのだ」

じろりと見た久兵衛の眼が据《す》わって、

「これだけ、はなしたら彦さん。もう逃げられねえぜ」

「まだ何も、きいちゃあおりませんよ」

「あの男は、石川友五郎といってね。五年前に、嶋田の殿さまが手もとへ引きとり、家来になすった。その恩義を忘れて……」

石川友五郎は、嶋田家の用人・三沢当右衛門《みさわとうえもん》の妻・お崎《さき》と姦通をし、これを殺害した。さらに、三沢夫婦のむすめのお千枝《ちえ》を手ごめにした上、これを勾引《かどわか》し、嶋田屋敷を脱走した。

そのとき、嶋田家の家来二名に重傷を負わせた、というのである。

「これだけで、石川がどんな奴か、はっきりとわかったろう」

「へえ。それなら何故《なぜ》、お上へ届け出て始末をしねえので？　……石川友五郎の居場所は、わかっているのじゃあございませんか」

するとと、田中屋久兵衛が、

「おれは、それだけしか知らねえ。生かしてはおけねえ奴だ、とおもったからこそ、嶋田様からたのまれた。いいか、彦次郎。つけあがるのじゃあねえぞ。お前が、この仕掛けを断わるのなら、それでもいい。そのかわり、いのちはねえとおもえ」

と、いった。しずかな声である。

これは脅《おど》しているのではない。田中屋久兵衛にとっては、石川友五郎を殺すことはむずかしいのだが、彦次郎を殺すことは、

「わけもないこと」

なのであろう。

それは、だれよりも彦次郎が、よくわきまえていることであった。

「元締。嫌だといっているのではございません。よく、わかりました」

「それならいい。では、日を限ろうじゃねえか」

「へい」

ちょっと考えてから、彦次郎が、

「年の内には、かならず……」

と、こたえ、

「元締。このことは、元締と私だけの……?」

「当り前だ。それが仕掛けの定法《じょうほう》だ」

「恐れ入りました」

七

いったん、我家へ帰った彦次郎が着替えをして外へ出たころ、藤枝梅安は、常在寺の本堂裏の病間で、若い女の治療をしていた。

「おどろきました、先生。今朝、お粥《かゆ》を一椀、食べたのでございますよ」

と、老僕が告げた。

治療をすませた梅安の手を濯《すす》ぐための湯をとりに、老僕が病間を出ていったとき、梅安が女の耳もとへ口をよせ、

「お千枝さん、と、いうのだそうだね」

ささやいたものだ。

女が、目をみはった。

「石川友五郎さんからきいたのだ。だから、心配せずともよろしい」

「あの……」

「だれにもいわぬことだ、よいかな。石川さんは元気でいる。安心したがよい」

「は……」

「さ、ねむりなさい。今日も、だいぶんに汗が出た」

いいつつ、梅安が乾いた白木綿で、お千枝の上半身の汗をぬぐいとりながら、

(私が、あと、半月も治療をすれば、食欲も出ようし、したがって、この萎《しな》びた乳房も、以前のように二十《はたち》の女のふくらみを、とりもどすことだろうよ)

と、おもった。

藤枝梅安が帰るとき、善達和尚が玄関まで見送って出て、またしても梅安に合掌した。

照れくさい冷汗をかき、梅安は一礼して、寺の門を出た。

(これには、困る……)

ちょうど、そのころであった。

両国・柳橋《やなぎばし》の料亭〔亀屋清右衛門〕の奥座敷で、田中屋久兵衛が、立派な風采《ふうさい》の武家と、二人きりで密談をしていた。

この武家の供をして来た二人の家来は別の部屋で待っている。

亀屋へ入って来たときの武家は、頭巾に面《おもて》を隠していたけれども、いまは脱いでいた。

胸を張った背丈が高く、四十五、六歳に見えた。

眉はうすいが、その下の両眼が大きく、ぎらぎらとした光りをたたえている。肉の厚い鉤鼻《かぎばな》で、口が大きく、下唇が垂れ下るかたちで鉛色を呈していた。

「年の内には、かならず始末がつくと存じまする」

と、田中屋久兵衛が、かしこまっていうのを、武家がうなずき、

「そうしてもらわぬといかぬ」

と、いった。

この武家が二千石の幕臣で、将軍家の御側衆《おそばしゆう》をつとめる嶋田大学秀現《ひであき》であった。

二千石の旗本といえば、用人のほかに侍七人、足軽、小者をふくめ、男の奉公人だけでも三十人は抱えていようという……まして御側衆ともなれば、才能しだいによっては、将軍の秘書官長というべき〔御側御用人〕へ昇進の道もひらかれている。

いずれにせよ、十人の御側衆にかこまれて将軍は暮している。したがって、幕府の最高位にある老中《ろうじゆう》といえども、御側衆には一目《いちもく》を置かなくてはならぬ。

「田中屋。いったい、どのような者を、石川友五郎へさし向けておるのか？」

と、嶋田大学が問うた。

「大丈夫でござります。おまかせ下さいますよう」

「金が要るのなら、もそっと出してもよい。なれど、かならず友五郎を仕とめてもらいたい」

傲然《ごうぜん》として、嶋田大学が、

「そのほうには、それだけのことをいたす恩義があろう」

「はい、はい」

役目柄、隠然たる勢力をもつ嶋田大学の口ぞえで、幕府へ差し出す人足たちを、いまは田中屋が一手に請負《うけお》っている。

その収入《みいり》は、非常に大きなものであるはずだ。

「わしの御役目のことも、よくよく考えて見よ」

「はい……」

「それだけに、迂闊《うかつ》なこともできぬ。みすみす、石川友五郎を野放《のばな》しにしているのも、そのためじゃ。友五郎めが、江戸を去って、いずこかへ身を隠しているというのなら、また別に仕様もある」

「ごもっともでござります」

「きゃつめ、これ見よがしに、江戸へ残っておる。まことにもって憎い奴。憎い、憎い……」

いいつつ、嶋田大学が古怪《こかい》な面貌《めんぼう》に怒気《どき》を発し、手にした白扇で火鉢のふちを叩き叩き、

「一日も早う、友五郎めを……」

「久兵衛に、おまかせ下さいますよう」

「たのむぞ」

やがて、頭巾をかぶり、家来二名を従えた嶋田大学が、物蔭に待たせてあった塗物の駕籠へ乗り、浜町の屋敷へ帰って行った。

翌朝……。

藤枝梅安の家へ、彦次郎があらわれて、

「昨夜ね、嶋田屋敷の中間《ちゅうげん》が、水野様の下屋敷の博奕場《ばくちば》へ来たのをつかまえ、すこし酒をふるまい、博奕の元手《もとで》をやってね……」

「ふむ、ふむ……」

「うまく、はなしをきき出したよ、梅安さん」

「どんな、はなし？」

「あの、嶋田大学が、途方《とほう》もねえ好色野郎《すけべえ》で、それも気ちがいじみていることは、たしからしい。微行《しのび》で市中へ出て、料理屋の座敷女中にまで、目をつけるそうだ」

「なるほどねえ」

「梅安さん。もうひとつ、いいことをきいたよ」

「なんだね？」

「師走の二十八日といえば、もう、あと十日ほどだが、その日が、嶋田家の先代の命日《めいにち》だとさ」

「ほう……」

「寺は……寺はね、聖坂《ひじりざか》の功運寺《こううんじ》で、この日は大学め、かならず寺へまいって供養をするそうだ」

「そうか、ふうん……二十八日ね」

「そうさ、ところで梅安さん」

「彦さん。お前、やるつもりかい？」

「こうなったら、仕方があるまい」

「どうも、このごろは、私もお前も、金にならねえ仕掛けばかりを、しているねえ」

「やれやれ、今度もまた、お前さんに迷惑をかけることになっちまった……」

「彦さん。今度は、よほど、肚《はら》をすえてかからぬとな。おたがいにね」

「わかっていますよ、梅安さん」

八

つぎの日。樹木谷の一軒家から、石川友五郎の姿が消えた。

それから、七日ほどを経た。

藤枝梅安は、朝から暮れるまで、一所懸命に、近辺の病人たちの治療に精を出している。

「ようやく、これで、前の先生にもどんなすったね」

と、手伝いのおせき婆さんが、

「これで、おれも毎日、通って来る甲斐《かい》があるというものだよね、先生」

「そうとも。婆さんがいなくては、一日も私は生きていられないよ」

「歯ぬけ婆あには、そんなおせじでもたまらなくなる。なんなら、夜ふけの手伝いに来てもいいがよう、先生。うふ、ふふ……」

「おお、怖《こ》わ」

いっぽう、彦次郎は、日中ほとんど、塩入土手の我家にはいなかった。

そして日が暮れてから帰って来る。

そうした或夜《あるよ》。

五ツ（午後八時）ごろだったろうか、今戸の〔玉屋〕の若い者が彦次郎の家へやって来て、

「三河町の元締が、お呼びでございますよ」

と、告げた。

「ああ、そうかい。すぐ行くと、おつたえしてくれ」

若い者が帰ってから彦次郎は、かなり長い間、何やら考えにふけっていたようだが、そのうちに顔を洗い、器用に櫛をあやつり、髪の毛をなでつけてから着替えをし、玉屋へ出かけて行った。

いつもの奥座敷で、田中屋久兵衛が待っていた。

「近くまで来たので、寄って見たのだ。なあに急《せ》かしているのじゃあねえ。彦さんが引き受けてくれたのだから、おれも安心しているが、来たついでに、ちょいと、その後の様子をききたいとおもってね」

久兵衛が、そういったとき、彦次郎はしっかりとうなずいて見せた。

そのうなずき方が断定的なものであった。

身を乗り出した田中屋久兵衛が、

「彦さん……」

「元締」

「む？」

「二十七日に、どこでも結構です。後金をいただきましょうよ」

「ほんとうか？」

「大丈夫です」

「それじゃあ、いよいよ、仕掛けの手だてがついたというのだな」

「さようで。ですが元締。この玉屋はいけません。これからも此辺《このへん》の料理屋では、どうもね
……」

「なぜだね？」

「だって元締。私の家《ところ》は、ここから近いのでございますよ」

ひざを打って久兵衛が、

「こいつは、おれとしたことが……」

「ほかのことをするのじゃあございません。仕掛けをするのですから……」

「わかった。こいつはすまねえことをした。それじゃあ彦さん。二十七日でいいのだな？」

「二十六日いっぱいに、片をつけます。二十七日に私が元締のところへ面《つら》を出してから、だれでもいい、人をやって石川友五郎の死体をたしかめて下さいまし」

「なあに、死体が出りゃあ、すぐに耳へ入る。なにもお前、そこまで堅いことを……」

「いえね、元締」

にんまりと、自信たっぷりの笑いを浮かべた彦次郎が、

「今度は、ちょいと変った仕掛けで石川友五郎の息の根をとめてやるつもりですから、ひとつ元締に、その死ざまを知っていただきたいとおもいましてね」

「ほう、ほう……そうか、そうかい」

久兵衛が昂奮《こうふん》し、

「それじゃあ、刃物《はもの》はつかわねえのか？」

「さようですとも」

「では、毒薬《どくぐすり》か？」

「とんでもねえ。毒薬に引っかかるような相手ではございませんよ。まあ、見ていておくんなさいまし。それで元締。二十七日には、何処《どこ》へ後金をいただきに出たらよろしいので？」

「柳橋の料理屋で、亀屋というのを知っているかえ？」

「へい、あの辺では大層《たいそう》な……」

「そうさ。そこへ、九ツ（正午）に来てくれ。早いかね？」

「いいえ、ちょうど結構で」

「いっしょに昼飯《ひる》をやろうじゃあねえか」

「ありがとうございます。それでは、これで……」

「たのむぜ、彦さん。こいつは……すくねえが、おれのこころざしだ。ま、いいやな、取っておいてくれ。それほどの金《もの》じゃあねえ」

「さようですか。それでは遠慮なしに」

「そうしてくれ、そうしてくれ」

九

その、十二月二十七日が来た。

この日は朝から、ほんとうに雪になりそうな空模様で、外出《そとで》の人びとは、みな、雪仕度をして家を出たようである。

藤枝梅安は前日から、井筒の離れに泊っていたが、この日の昼前に駕籠を呼ばせ、井筒を出た。

梅安は、裾長《すそなが》に仕たてた黄八丈《きはちじよう》をゆったりと着て、黒の紋つき羽織に白足袋。青あおと剃《そ》りあげた坊主あたまへ御納戸《おなんど》色《いろ》の焙烙頭巾《ほうろくずきん》をかぶり、白絹の襟巻《えりまき》といういでたちで、躰が大きいだけに、実に堂々たる風采《ふうさい》であった。

だれの眼にも、

（どこぞの、それと知られた医者……）

と、映《うつ》るにちがいあるまい。

梅安を乗せた駕籠は、両国橋を東へわたりきったところでとまった。

「これからは歩いて行く。もう帰っていいよ」

駕籠を帰してから、梅安は、しばらくその辺をぶらぶらしていたが、そのうちに、なんと両国橋を東から西へ、わたり返して行ったものである。梅安は小さな包みを持っている。

そして、柳橋南詰の料亭〔亀屋〕へ入って行き、

「酒と……それに軽く昼餉《ひるげ》をたのむ」

鷹揚《おうよう》にいい、たっぷりと入った用意の心付けをわたし、

「通りがかりに寄って造作《ぞうさ》をかける」

悠然として上等の履物をぬぐ。

亀屋は、予約なしの客は受けぬがたてまえであったが、藤枝梅安の物腰《ものごし》に気圧《けお》されてしまい、一も二もなく、階下の洒落《しゃれ》た小座敷へ案内した。

それから梅安は、すこしの酒をのみ、軽い食事をとった。

しかし、実は飯も料理も用意の重箱へ入れ、これを包み、吸物だけに口をつけた。

腹が張ってしまっては、これからすることの邪魔になるからだ。

この間に、奥庭の向うの廊下を、田中屋久兵衛が奥の離れ座敷へ入って行くのを、梅安は障子の隙間から見とどけている。

(やれやれ、これで、田中屋がいる部屋を知る手間がはぶけた)

梅安は、床の間の袋戸棚へ料理の入った荷物を隠してから、立ちあがった。

庭下駄をはいた梅安が、亀屋の奥庭を横切り、離れ座敷の前へ立ったのを、見たものはだれもいない。

座敷の中では、田中屋久兵衛が、彦次郎をやきもきしながら待っている。

声もかけずに障子を開けた梅安が、するりと中へ入った。

「だ、だれだ?」

盃を置いて久兵衛が咎《とが》めるのへ、

「はい。彦次郎の使いの者でございますよ」

こういったときには、早くも梅安が久兵衛の右傍へ擦り寄っていて、

「元締。お耳を拝借《はいしゃく》」

と、ささやいた。

とっさのことだし、おもわず、つりこまれた田中屋久兵衛が、

「彦さんの……?」

いいさして耳を向けた、その久兵衛の喉《のど》もとへ、梅安の右手が電光のように疾《はし》った。

くびを絞めるというような大仰《おおぎょう》な動作ではない。右手で、久兵衛の喉の急所をぐいとつかんだだけなのだが、

「う……」

悲鳴もあげずに久兵衛が、一瞬、気をうしなって、ぐったりと倒れかかるのを左手で抱え起し、早くも、右手がふところをさぐって三寸余の殺し針を取り出し、口にくわえた。

右手の親ゆびには、ここへ入って来る前に革《かわ》づくりの指輪をはめこんである。

口にくわえた殺し針を改めて取り直した梅安が、久兵衛の盆《ぼん》の窪《くぼ》へ針の根元まで打ちこんだ。

久兵衛の躰がぴくぴくと痙攣《けいれん》し、すぐに熄《や》んだ。

ほとんど、血もにじまぬ。

深く突き通った殺し針は、急所中の急所である延髄《えんずい》に達し、田中屋久兵衛を即死せしめた

のである。

藤枝梅安が自分の座敷へもどり、袋戸棚の中の包みを出し、女中をよんで勘定をすませ、亀屋の外へ出たとき、ついに、頭上をおおう灰色の幕から、白いものがはらはらと舞い下りてきはじめた。

ところで、これより約半刻（一時間）前に、彦次郎は三河町の田中屋をおとずれ、いつか久兵衛の使いにやって来た留造《とめぞう》という男へ、

「急なことで、元締にお目にかかりたいのですがね」

と、いった。

「元締は外へ出ていなさる」

「どちらへ？」

「そいつはわからねえが一刻もすれば用事も終るといっていなすった」

どうやら留造は、今日、田中屋久兵衛が彦次郎と会うことを知らないらしい。

「それじゃあ、待たせて下さいますか？」

「ああ、いいとも」

といって、留造が、

（この男は、なんでもふさ楊子をつくっている職人だそうだが、元締は、いったい何で、こんな男に用がおあんなさるのだろう）

とてもいいたげな顔つきになった。

半刻あまり待って、彦次郎が、

「それじゃあ、また出直してまいります」

「そうかい、気の毒をしたな。元締に伝言《でんごん》があるなら、つたえておくぜ」

「いえ、私が来たことだけをおっしゃって下さいまし」

いまごろは、亀屋で田中屋久兵衛が死んでいるのを見つけ、大さわぎになっていることであろう。

ともあれ、これで、彦次郎が殺しの現場にいなかったことが、はっきりと証明されたことになる。

十

翌二十八日の五ツ（午前八時）に、嶋田大学秀現は、駕籠に乗って浜町の屋敷を出た。芝の聖坂《ひじり》にある功運寺で、亡き父・大学秀元の供養をするためである。

侍四名、小者二名の供をつれ、跡つぎの長男・秀十郎が同道していた。

江戸の町に、雪が、うすく積もっている。積もったとおもったら熄《や》んでしまった。

依然、空は曇ってい、寒気はきびしいが風は絶えていた。

嶋田大学は、回忌《かいき》でなくとも、先祖の祥月命日《しょうつきめいにち》には、御城の勤《つと》めが非番であれば、かならず寺へ詣って供養をする。

性慾が異常で好色の度合いがなみ外れで、立身出世と権力への渇望《かつぼう》が烈しい嶋田大学は、四代も嶋田家に仕えている用人・三沢当右衛門の妻女お崎を、邸内の〔文庫蔵《ぶんこぐら》〕へ引き入れ、暴行凌辱《りょうじょく》のかぎりをつくし、これがため、お崎は首を吊って自殺をとげた。

お崎は四十五歳で、格別の美婦でもない。嶋田大学の性慾の異常さが、これをもってしてもわかろうというものだ。

三沢用人は、わが妻の非業な最期にも、

(あえて、目をつぶり……)

こらえぬいた。

主人への忠節というよりも、抵抗の術《すべ》を見出せぬ小心な男だったからである。

すると嶋田大学が、今度は、三沢夫婦のむすめ・お千枝に目をつけ、これをまた〔文庫蔵〕へ引きずりこんだが、お千枝は猛烈に抵抗したため、大学が激怒し、叩き撲るの暴行を加えた上で犯し、そのまま〔文庫蔵〕へ押しこめてしまった。

それを救い出し、背に負って嶋田屋敷を脱走したのが、家来の一人だった石川友五郎であった。

あの夜、樹木谷の小屋で……。

石川友五郎は藤枝梅安に、こう語った。

「私は、五十俵二人扶持《ににんぶち》の御家人のせがれに生まれたが、父というものが生来、なみはずれの博奕《ばくち》好きで、母も、このため苦労のしつづけで病死をしてしまったし……そのうちに、父も借金と喧嘩《けんか》の果てが御公儀に睨《にら》まれ、家を取りつぶされてしまい、間もなくね、大川へ飛びこんで自殺をとげてしまった……いやもう、ひどいものだ。それから私は、菩提寺《ぼだいじ》の和尚に引き取られましてな。その和尚がほれ、常在寺の善達和尚なので。

嶋田家へ奉公に出たのは、聖坂の功運寺の和尚と、善達和尚が知り合いだったので、その手びきによるものでしたよ。

私はまあ、子供のころから剣術が好きで、ずいぶんとやった。それを知って嶋田大学がね、いつも私を供につれて出たものです。ところが、何しろ、ああいう殿さまだ。つくづくと嫌になってね。

すると、今度の事件《こと》が起った。

これにはもう、見るに見かねて、お千枝さんを助けて逃げたのだ。お千枝さんを常在寺にあずけて、私が、この小屋にいるのは、どこまでも嶋田大学と闘うつもりなのだ。大学め、とても御公儀へは訴えられまい。そのようなことをしたら、出るところへ出て、私は堂々と、大学の、これまでの非行《ひこう》を申したててやる。

刺客をさし向けて来るなら、斬って斬って斬りまくってやる、これまでに、浪人が二人、私に襲いかかったが、二人とも斬って捨てた。先日も町人ふうの妙な男が、私をさぐりに来ましたよ。こうなったら、私もいのちがけだ。大学めが、どう出るか、手ぐすねひいて待っていてやろうとおもう」

嶋田大学は、常在寺をもさぐらせたが、石川友五郎がいない上に、お千枝が寝たきりでかくまわれていい、しかも寺方へは、みだりに踏みこめぬので、先ず友五郎を暗殺してから、と、田中屋久兵衛に相談をしたらしい。

はなしをもどそう。

供養が終って、嶋田大学は、きびしい寒気のためもあって尿意《にょうい》をもよおし、本堂の廻り廊下を雪隠《せっちん》（便所）へおもむいた。勝手知ったる菩提寺のことで、大学は一人きりで廊下をまわり、雪隠へ入った。

用を足して、出て来ると、雪隠の戸口に、大男の僧が立っていて、

「これは、これは……」

にこやかに笑いかけつつ、丁重にあたまを下げたので、

「うむ」

うなずいて嶋田大学が、大男の僧と、すれちがった瞬間に、

「あ……」

わずかにうめいて、棒立ちとなった。

僧に化けた藤枝梅安は、振り向きもせずに、廊下から消え去った。

嶋田大学が、音をたてて廊下に倒れた。

大学も、梅安の殺し針に深ぶかと延髄《えんずい》を突き刺されて即死したのである。

大学の変死に気づいた功運寺の僧や家来たちが大さわぎをしているとき、藤枝梅安は僧衣を功運寺の境内へぬぎ捨て、いつもの姿にもどり、聖坂をのぼりきっていた。


藤枝梅安は、このところ三年ほど、年越し蕎麦《そば》を芝・赤羽橋の〔福山〕で食べることにしている。

「今年の大晦日《おおみそか》は、いっしょに蕎麦を食べよう」

と、約束をしていた彦次郎が、大晦日の昼すぎに、梅安の家へやって来た。

それから間もなく……。

常在寺の老僕と僧が一人、何やら、いろいろの道具を小さな手押し車に積み、梅安宅へあらわれたのである。

「和尚さまのおいいつけで、まことに失礼ながら、こころばかりの……」

と、僧がいい、道具をひろげた。

大きな俎板《まないた》に、ふとい麺棒《めんぼう》。蕎麦粉が山ほど。柚子《ゆず》がたくさん。

梅安と彦次郎が、呆気《あっけ》にとられているうち、二人が台所へ入り、たちまちに仕度をととのえ、蕎麦粉をこね、麺棒でのばし、僧のほうが大きな庖丁《ほうちょう》をつかい、見とれるほどの手つきで小口から整然と切ってゆく。柚子を入れた柚子切蕎麦も打ち、

「あとは、よろしゅう」

「正月のおいでをお待ちしております」

あいさつをして、たちまちに引きあげて行った。

「おどろいたね、どうも……」

「これじゃあ、わざわざ赤羽橋の福山へ行くこともねえ」

「とにかく、ありがたいことだ」

「さて、これからは、こっちのものさ。ねえ梅安さん」

「そうとも」

二人して仕度にかかり、とっぷりと日が暮れてから、僧と老僕が打ってくれた蕎麦を、好みにゆであげ、葱《ねぎ》と、おろしたての山葵《わさび》で、

「こいつはうめえ」

「田舎の蕎麦の味だね。あの寺の和尚は、きっと信濃《しなの》の生まれだとおもうよ、彦さん」

「へへえ……」

「はなしぶりに、国《くに》なまりがあった」

「どうも梅安さんには、かなわねえな」

「いまごろは、石川友五郎さんも、晦日蕎麦を常在寺でやっているだろう。お千枝さんも食べられるほどに躰が回復したし……」

「あの二人の始末をどうするね？」

「京へ逃がしてもいい。京には私の知り合いが何人もいる。二年もすれば、また江戸へ帰れるだろうよ」

「それにしても、すっかり今度も、梅安さんの世話になっちまったなあ」

「おたがいさまさ」

「いつか、おれは、梅安さんのために死にてえ。いや、死ぬよ」

「ばかをいいなさるな」

「それにしても、あの嶋田大学というやつ。二千石の旗本だぜ。それが、あんなことを……」

「あれはね、生まれつきそうなのだ。悪人というものは、そうなるにはなるだけの理由がある。ところがね、あの嶋田大学の桁《けた》はずれの仕様は、もって生まれたものさ。それでなくて、どうして、おのが家来の、四十五にもなる女房を手ごめにするかだ。この生まれつきの悪人というのは、おのれの悪業を悪いとおもわぬ。そういう悪人が、いちばん恐ろしいのだよ」

「ふうむ……」

「もって生まれた狂った血の、なせる業だ。こいつばかりは私の鍼《はり》でも癒《なお》らぬのだ。だからねえ、彦さん。嶋田大学が本堂で手を合わせていたときの姿は、まるで別人のようだったよ」

蕎麦を食べ終えてから、また酒になり、しんしんと更けわたる夜の静寂《しじま》が、突如、破られた。

梅安宅の、すぐ前の宝塔寺《ほうとうじ》の鐘楼で、除夜《じょや》の鐘が鳴りはじめたのである。

「彦さん……」

「え？」

「今年も、死ななかったねえ」

「来年は、どうなることやら……」

「炬燵《こたつ》の火は、これでいいかね？」

「ちょうどいいよ、梅安さん」

「そのまま、寝てしまってもいいよ」

「うん、うん……」

「彦さん。雪が落ちて来たらしい。今夜のは、きっと積もるよ」

「梅安さんには、かなわねえ」

「三ヶ日は、此処にいたがよい」
「ああ……そうさせて……もらいます……」

あとがき

仕掛人・藤枝梅安を主人公にした小説が、望外の好評を得て、このような〔シリーズ〕になろうとは、はじめ私も考えてはいなかった。

　この〔シリーズ〕を読者が好んで下さるのは、仕掛人の梅安や彦次郎を通じて、

「人間は、よいことをしながら悪いことをし、悪いことをしながらよいことをしている」

という主題を強調し、血なまぐさい殺しの仕事をはなれたときの、彼らの日常生活を書きこんだ故かも知れぬ。

　この〔シリーズ〕が、昨年の小説現代の読者賞にえらばれたことで、私は、非常なはげましを受けた。

　これから先、どこまで、この〔シリーズ〕を書きつづけて行くことができるか、それはわからぬが、一作ごとに梅安や彦次郎の生態を、深く追いかけて行こうとおもっている。

昭和四十八年二月

池波正太郎

解説

大村彦次郎

「仕掛人・藤枝梅安」の誕生までのいきさつについては、すでによそで二、三触れたので、ここでは重複するところはなるべく避けて、書いてみることにする。

池波さんは昭和三十五年（一九六〇）の夏に、「錯乱」で直木賞を受賞したが、そのあとしばらく、柴田錬三郎、五味康祐、司馬遼太郎といったケレン奔放な作家のかげに隠れて、あまりパッとしなかった。私は当時、池波さんの書かれた市《し》井《せい》の世話物、たとえば「金太郎蕎麦」とか「おせん」とか、寸法のキッチリ合った仕事ぶりが好きだったが、手堅いだけに、どこかひと昔前の浅草の小芝居風に受けとられて損をした。

　その池波さんが「オール讀物」で「鬼平犯科帳」をスタートしたのは昭和四十三年の新年号からで、この年は同時に自伝的エッセイ「青春忘れもの」を「小説新潮」に書き出した。

池波ブームのハシリである。こりゃア、ウカウカしてはいられない、と逸《はや》る気持で、私が池波さんの許《もと》に飛んで行ったのは、翌年の夏、「小説現代」の編集長の辞令を貰ってすぐのことだった。荏原の自宅を改築なさっているときで、池波さんはたしか青山学院の裏手の仮宅にいらした。

〈鬼平〉みたいなもの、と言うのも能がないので、私は黙阿弥の白浪物シリーズの翻案をお願いした。白浪つまり盗賊物である。私の頭の中には、戦前映画化された山中貞雄の「人情紙風船」や戦後の子母沢寛「すっ飛び駕《かご》」のイメージがあって、それらはいずれも講釈ダネを下地にした黙阿弥物の換骨奪胎《かんこつだったい》である。池波さんは両腕を組んで、うーんと考えていたが、「いま、仕込んでるのがあるんだ。もうすこし待ってくれないか」と言われた。まア、脈あり、といった感触を得た。

その折、池波さんから、「きみは、子母沢さんが好きなのかい」と訊かれたことを覚えている。子母沢寛は昭和の初期、池波さんの師の長谷川伸と並んで、股旅物作家として盛名を馳せた人だ。私は子母沢作品の叩き込むような、歯切れのいい語り口が好きだった。その時分、勝新太郎の主演映画〈座頭市〉シリーズが評判で、これは子母沢さんの随筆「ふところ手帖」の中の一篇が元ネタになっていた。まさかのちに、この〈座頭市〉と並んで〈鬼平〉や〈梅安〉が時代劇の人気キャラクターになろうとは、そのときの池波さんも私も思い及ばなかったのは当然のことだ。

池波さんから〈梅安〉シリーズの先行作品になる「梅雨の湯豆腐」の原稿を頂いたのは、昭和四十五年（一九七〇）の初夏のことだ。「彦さん（池波さんは日頃、私のことをそう呼んでいた）、きみの名前を借りたよ」と、ニヤニヤしながら言われたので、編集部へ戻ってすぐに読んでみると、浅草のはずれ塩入土手に住む楊枝職人が主人公で、その名が彦次郎である。作家はよく面白半分に、知り合いの編集者の名前を自作の中に使用したりすることがある。私の場合もそうで、もちろんキャラクターは作者の造型である。彦次郎の性格には、多分に作者自身が投影されている、とご本人は言うが、体格は小柄で、顔の色は黒く、痩せた中年男である。

このとき作者が彦次郎の昼の表芸を楊枝つくりの職人にしたのには興味がある。これよりすこし前の「小説現代」に、笹沢左保「見かえり峠の落日」が発表され、特大の楊枝を口にくわえた主人公の木枯し紋次郎が読者の喝采を博して迎えられていた。これは池波さんから聞いた話ではないので不確かだが、紋次郎がヒントになって、彦次郎の楊枝職人が生まれたのではないか。そうでなくても、池波さんにはそれくらいの茶目ッ気がある。いずれにしろ、紋次郎も彦次郎も楊枝と縁があるのは面白い。

ところで、この「梅雨の湯豆腐」はいま読み返しても、なかなか出色の短篇である。彦次郎は赤坂田町の顔役赤大黒の市兵衛から手付の金三十両を貰って、殺しを請負う。殺しの理由も、依頼主の名も聞かぬのが、この世界の定法である。彦次郎は独身者だから、近所の豆腐屋がけさ届けてくれた豆腐と油揚げを短かく切って、土鍋に入れ、湯豆腐にして、ひとり晩酌を楽しむ、といった暮らし向きだ。小料理のあしらいで季節感を出すのは、この作者の最も得意とするところである。

のちに主役になる藤枝梅安はこの作ではまだ登場しない。おそらく梅安の人物像がこの段階ではまだ充分に煮詰まっていなかったにちがいない。そればかりか、シリーズ全体の構想も整っていなかったのだろう。だから、この短篇の結末では、主人公の彦次郎は仕掛けた相手の一人から逆襲され、自分の隠れ家で殺されてしまう。翌朝、彦次郎の死体を見つけた豆腐屋が雨の中、青々と繁った柿の木の下を悲鳴を上げながら走り去っていく場面は、秀逸な芝居の幕切れを思わせて見事である。

この作品が書かれた前後、池波さんは「小説現代」だけでも、「情炎」、「夜狐」、「あいびき」、「敵《かたき》」、「梅屋のおしげ」、「夢の茶屋」、「おきぬとお道」と、それぞれに趣向の異る佳品を発表している。そしてこの間、胸中に生じる仕掛人の醗酵をじっと待っていたにちがいない。それでいよいよ待望の梅安が登場するのが、四十七年三月号の「おんなごろし」からである。シリーズ物を依頼に上がってから、およそ二年近くの時間がかかったわけである。

この「おんなごろし」で初めて、〈起《おこ》り〉とか〈蔓《つる》〉とかいう作者創案の用語が使われて、江戸の暗黒街の仕組みと同時に、鍼《はり》医師藤枝梅安の性格や身許が説明される。殺し屋を職業とする以上、梅安は冷血である。依頼された殺しの相手が小さいときに別れた妹ということに気がついても、あっさりその手に掛けてしまう。実の妹と分ったら、たとえ極悪人でも生かしておくのが人情だが、世の中のためにならないとしたら、梅安には私情より掟の定法が優先する。そこには〈女という生きものはみんな同じだよ〉という、梅安の過去に遡る酷薄な女性観がある。

だが、作者はこの男にひそむ暗さを気にしてか、その一方で梅安をつとめて明るく振舞わせることも忘れない。浅草橋場の料亭「井筒」の女中おもんとの情事に関しては、まるで春画を思わせるような駘蕩《たいとう》たる快楽ぶりである。この作者の世に処する考えかたは、善悪二元論である。〈人間はよいことをしながら悪いことをし、悪いことをしながらよいことをしている〉。世情にたけたリアリズムの認識が一本通っている。これが勧善懲悪だけではおさまらない、いまの時代の読者に受けた。

シリーズの二作目は「殺しの四人」である。梅安、彦次郎のコンビと、梅安を亡妻の仇とつけ狙う、これまた複数の仕掛人との凄絶な殺戮《さつりく》劇である。二人は相手を倒したあと、何喰わぬ顔をして江戸を離れ、お伊勢詣りの旅に出る。これが読者には好評で、池波さんは第五回の「小説現代読者賞」を受賞した。半年に一回、この雑誌が催す読者投票の結果の賞である。賞金は二十万円。過去の受賞作品は第一回笹沢左保「見かえり峠の落日」で、このあと梶山季之「見切り千両」、松本清張「留守宅の事件」、野坂昭如「砂絵呪縛後日怪談《しばりごにちのかいだん》」が続いた。今日から見ると、往時の読者の嗜好が分って参考になる。

池波さんはこの受賞は評者によるのでなく、読者のジカな声援によるのが嬉しい、と言って、ひどく自信を深められたようだ。それまでは殺し屋を主人公にしただけに、読者の支持が得られるか、一抹の不安があったのはたしかだ。読者賞を貰って以後は、本文庫収録の「秋風二人旅」、「後は知らない」、「梅安晦日蕎麦」と快調な執筆が続くが、ここで題名には、「梅安晦日蕎麦」から必ず頭に〈梅安〉の二字が冠せられるようになった。読者の評判の後押しで、〈梅安〉が罷《まか》り通った。

○

読者賞の受賞の祝いは日ならずして、上野公園内の韻松亭の座敷で催された。池波さんを囲む、編集部七、八人の内輪の会である。場所は池波さんが指定された。隣りは五条天神の境内で、池波さんが子供の時分、チャンバラごっこをして遊んだところだ。池波さんは上機嫌で、会の果てたあと、かなり遅い時刻だったが、みずから先導して、寛永寺の奥の院へズンズン歩いて行き案内を乞うて、慶喜公蟄居《ちっきょ》の間を見学させて貰ったりした。あの当時の池波さんはとにかく何事にも積極的で、エネルギッシュだった。

本来、几帳面でせっかちな人だから、締切はキチンと守って、手を抜かなかった。節制にも努め、酒も控えた。息抜きに映画の試写にはよく出かけられたが、帰りがけ試写室のある都心から時折、編集部へ電話をかけて寄越された。すぐに飛んで行くと、町なかの散歩をしようと言われる。

歩くのは専《もっぱ》らその昔、池波さんが株屋の丁稚小僧《でっちこぞう》をしていた頃の、日本橋茅場町《かやばちょう》界隈が起点になる。証券取引所のある兜町から鎧橋を渡り、蛎殻町《かきがらちょう》、人形町を通って、大川端に出る。あるいは京橋方向へ向うと、江戸期の埋立地でもある霊岸島《れいがんじま》とか越前堀を抜けて、鉄砲洲稲荷から新富町、明石町周辺を徘徊することが多かった。

散策の途次、いま進行中の作品の話を口にされた。歩き疲れると、喫茶店へ寄り、コーヒーを注文する。灯点《ひとも》し頃の銀座も近いから、そのあと酒場へでも回るかと思うと、そうではなく、そのまま真っすぐ帰宅された。家へ帰れば、仕事が待っている。池波さんはこれからの時間が一日の勝負だ、といわんばかりの、気負った表情をチラッと見せた。

本文庫に収録された作品のなかには、今日の観点からみると差別的表現ととられかねない箇所があります。しかし作者の意図は、決して差別を助長するものではないこと、作品自体のもつ文学性ならびに芸術性、また著者がすでに故人であるという事情に鑑み、表現の削除、変更はあえて行わず底本どおりの表記としました。読者各位のご賢察をお願いします。

〈編集部〉

本書は、『完本池波正太郎大成16仕掛人・藤枝梅安』（一九九九年二月小社刊）を底本としました。

|著者|池波正太郎　1923年東京都生まれ。『錯乱』にて第43回直木賞を受賞。『殺しの四人』『春雪仕掛針』『梅安最合傘』で３度小説現代読者賞を受賞。「鬼平犯科帳」「剣客商売」「仕掛人・藤枝梅安」を中心とした作家活動により、第11回吉川英治文学賞を受賞したほか『市松小僧の女』で第３回大谷竹次郎賞を受賞。「大衆文学の真髄である新しいヒーローを創出し、現代の男の生き方を時代小説の中に活写、読者の圧倒的支持を得た」として第36回菊池寛賞を受けた。1990年５月、67歳で逝去。

新装版《しんそうばん》 殺《ころ》しの四人《よにん》 仕掛人《しかけにん》・藤枝梅安《ふじえだばいあん》（一）
池波正太郎《いけなみしょうたろう》

2001年４月15日第１刷発行
2008年11月27日第19刷発行

発行者――野間佐和子
発行所――株式会社 講談社
東京都文京区音羽2-12-21　〒112-8001
電話 出版部 (03) 5395-3510
販売部 (03) 5395-5817
業務部 (03) 5395-3615

講談社文庫
定価はカバーに
表示してあります

デザイン―菊地信義
製版――凸版印刷株式会社
印刷――豊国印刷株式会社
製本――有限会社中澤製本所

Printed in Japan

落丁本・乱丁本は購入書店名を明記のうえ、小社業務部あてにお送りください。送料は小社負担にてお取替えします。なお、この本の内容についてのお問い合わせは文庫出版部あてにお願いいたします。

ISBN4-06-273135-5

講談社文庫刊行の辞

二十一世紀の到来を目睫に望みながら、われわれはいま、人類史上かつて例を見ない巨大な転換期をむかえようとしている。

世界も、日本も、激動の予兆に対する期待とおののきを内に蔵して、未知の時代に歩み入ろうとしている。このときにあたり、創業の人野間清治の「ナショナル・エデュケイター」への志を現代に甦らせようと意図して、われわれはここに古今の文芸作品はいうまでもなく、ひろく人文・社会・自然の諸科学から東西の名著を網羅する、新しい綜合文庫の発刊を決意した。

激動の転換期はまた断絶の時代である。われわれは戦後二十五年間の出版文化のありかたへの深い反省をこめて、この断絶の時代にあえて人間的な持続を求めようとする。いたずらに浮薄な商業主義のあだ花を追い求めることなく、長期にわたって良書に生命をあたえようとつとめるところにしか、今後の出版文化の真の繁栄はあり得ないと信じるからである。

同時にわれわれはこの綜合文庫の刊行を通じて、人文・社会・自然の諸科学が、結局人間の学にほかならないことを立証しようと願っている。かつて知識とは、「汝自身を知る」ことにつきていた。現代社会の瑣末な情報の氾濫のなかから、力強い知識の源泉を掘り起し、技術文明のただなかに、生きた人間の姿を復活させること。それこそわれわれの切なる希求である。

われわれは権威に盲従せず、俗流に媚びることなく、渾然一体となって日本の「草の根」をかたちづくる若く新しい世代の人々に、心をこめてこの新しい綜合文庫をおくり届けたい。それは知識の泉であるとともに感受性のふるさとであり、もっとも有機的に組織され、社会に開かれた万人のための大学をめざしている。大方の支援と協力を衷心より切望してやまない。

一九七一年七月

野間省一

講談社文庫　目録

阿川佐和子　マチルデの肖像〈恋する音楽小説2〉
麻生　幾　加筆完全版 宣戦布告(上)(下)
青木奈緒　うさぎの聞き耳
青木奈緒　動くとき、動くもの
赤坂真理　ヴァイブレータ
赤坂真理　コーリング
赤坂真理　ミューズ
赤尾邦和　イラク高校生からのメッセージ
浅暮三文　ダブ(エ)ストン街道
安野モヨコ　美人画報
安野モヨコ　美人画報ハイパー
安野モヨコ　美人画報ワンダー
梓澤　要　遊部(上)(下)
雨宮処凛　暴力恋愛
雨宮処凛　ともだち刑
有村英明　届かなかった贈り物〈心臓移植を待ちつづけた87日間〉
有吉玉青　キャベツの新生活
有吉玉青　車掌さんの恋
甘糟りり子　みちたりた痛み

赤井三尋　翳《かげ》りゆく夏
あさのあつこ　NO.6〔ナンバーシックス〕#1
あさのあつこ　NO.6〔ナンバーシックス〕#2
あさのあつこ　NO.6〔ナンバーシックス〕#3
あさのあつこ　NO.6〔ナンバーシックス〕#4
赤城　毅　虹のつばさ
赤城　毅　麝《じゃ》香《こう》姫《ひめ》の恋文
新井満・新井紀子　ハイジ紀行〈ふたりで行く『アルプスの少女ハイジ』の旅〉
化《あだ》野《しの》　燐《りん》　蠱《こ》猫《ねこ》〈人工憑霊蠱猫〉
化野　燐　白《はく》澤《たく》〈人工憑霊蠱猫〉
青山真治　ホテル・クロニクルズ
阿部夏丸　泣けない魚たち
五木寛之　ソフィアの秋
五木寛之　狼のブルース
五木寛之　海峡物語
五木寛之　風花のひと
五木寛之　鳥の歌(上)(下)
五木寛之　燃える秋
五木寛之　真夜中の望遠鏡〈流されゆく日々'78〉

五木寛之　ナホトカ青春航路〈流されゆく日々'79〉
五木寛之　海の見える街にて〈流されゆく日々'80〉
五木寛之　改訂新版 青春の門 全六冊
五木寛之　新装決定版 青春の門 筑豊篇(上)(下)
五木寛之　旅の幻燈
五木寛之　他力
五木寛之　こころの天気図
五木寛之　新装版 恋歌
五木寛之　百寺巡礼 第一巻 奈良
井上ひさし　モッキンポット師の後始末
井上ひさし　ナイン
井上ひさし　四千万歩の男 全五冊
井上ひさし　四千万歩の男 忠敬の生き方
井上ひさし・司馬遼太郎　国家・宗教・日本人
池波正太郎　私の歳月
池波正太郎　よい匂いのする一夜
池波正太郎　梅安料理ごよみ
池波正太郎　田園の微風
池波正太郎　新 私の歳月

講談社文庫　目録

池波正太郎　おおげさがきらい
池波正太郎　わたくしの旅
池波正太郎　わが家の夕めし
池波正太郎　新しいもの古いもの
池波正太郎　作家の四季
池波正太郎　新装版 緑のオリンピア
池波正太郎　新装版 殺しの四人〈仕掛人 藤枝梅安(一)〉
池波正太郎　新装版 梅安蟻地獄〈仕掛人 藤枝梅安(二)〉
池波正太郎　新装版 梅安最合傘〈仕掛人 藤枝梅安(三)〉
池波正太郎　新装版 梅安針供養〈仕掛人 藤枝梅安(四)〉
池波正太郎　新装版 梅安乱れ雲〈仕掛人 藤枝梅安(五)〉
池波正太郎　新装版 梅安影法師〈仕掛人 藤枝梅安(六)〉
池波正太郎　新装版 梅安冬時雨〈仕掛人 藤枝梅安(七)〉
池波正太郎　新装版 近藤勇白書(上)(下)
池波正太郎　新装版 忍びの女(上)(下)
池波正太郎　新装版 まぼろしの城
池波正太郎　新装版 殺しの掟
池波正太郎　新装版 抜討ち半九郎
池波正太郎　新装版 剣法一羽流

池波正太郎　新装版 若き獅子
井上 靖　楊貴妃伝
石川英輔　大江戸神仙伝
石川英輔　大江戸仙境録
石川英輔　大江戸えねるぎー事情
石川英輔　大江戸遊仙記
石川英輔　大江戸仙界紀
石川英輔　大江戸生活事情
石川英輔　大江戸リサイクル事情
石川英輔　雑学「大江戸庶民事情」
石川英輔　大江戸仙女暦
石川英輔　大江戸仙花暦
石川英輔　大江戸えころじー事情
石川英輔　大江戸番付事情
石川英輔　大江戸庶民いろいろ事情
石川英輔　大江戸開府四百年事情
石川英輔・田中優子　大江戸生活体験事情
石牟礼道子　新装版 苦海浄土《くがいじょうど》〈わが水俣病〉
今西祐行　肥後の石工

いわさきちひろ　ちひろのことば
松本 猛・いわさきちひろ　いわさきちひろの絵と心
松本 猛　ちひろへの手紙
いわさきちひろ・絵本美術館編　ちひろ・子どもの情景〈文庫ギャラリー〉
いわさきちひろ・絵本美術館編　ちひろ・紫のメッセージ〈文庫ギャラリー〉
いわさきちひろ・絵本美術館編　ちひろの花ことば〈文庫ギャラリー〉
いわさきちひろ・絵本美術館編　ちひろのアンデルセン〈文庫ギャラリー〉
いわさきちひろ・絵本美術館編　ちひろ・平和への願い〈文庫ギャラリー〉
石野径一郎　ひめゆりの塔
今西錦司　生物の世界
井沢元彦　義経幻殺録
井沢元彦　光と影の武蔵〈切支丹秘録〉
井沢元彦　新装版 猿丸幻視行
一ノ瀬泰造　地雷を踏んだらサヨウナラ
泉 麻人　ありえなくない。
伊集院 静　乳房
伊集院 静　遠い昨日
伊集院 静　夢は枯野を〈競輪躁鬱旅行〉
伊集院 静　野球で学んだこと ヒデキ君に教わったこと

2008年9月15日現在